美意識の値段

uchi Katsura

a pilot of wisdom

はじめに

最近世間はアートブームらしいが、生まれてこの方半世紀以上アートと触れ合って生き、三〇年弱アート・ワールドに身を置いて、その内の二〇年弱を海外で暮らした私がその言葉を聞くと、少々違和感が有る。

それは日本の人達の間にアート「ブーム」が有るらしいからで、私が長く住んだニューヨークではアートは決して「ブーム」とは呼ばれず、もっと日常的に人々の側に有り、家に何らかのアートが有るのは当たり前、展覧会やアートフェア、蚤《のみ》の市に行くのは日常行事、友人の中にひとり位アーティストが居るのも普通だったからだ。

この本の依頼を受けた最大の動機は其処《そこ》で、日本人に普通にアートのある暮らしをして貰《もら》いたいと願う私なりの提案書を記したいと云《い》う事だった。

そしてもう一点。私が勤めるオークション・ハウス、クリスティーズのロンドンまたニューヨークのセール会場では、オークション開催前になると、老若男女、ジェンダー、人種、宗教を問わず、美術館・博物館クラスの作品を誰でも無料で観《み》る事の出来る「下見会」を開催する。そしてこの下見会には、当然世界中からコレクターやアート・ディーラー、美術館関係者が作品を観る為《ため》に集まって来るのだが、それ以外にも、例えば乳母車を引いた母親や子供連れの若い夫婦、教師に連れられた多くの学生や社会人向けのレクチャー・グループ迄《まで》、数日後に開かれるオークションに参加するとは思えない人達の姿もよく見る。

これはオークション・ハウス、延《ひ》いてはアートその物自体が歴史的に公的な役割を担っているからで、この事も今日本では中々考えられない現象だと思う。私はそんな日本の方々に本書を通じて、アートと親しみ、アートを身近に暮らして貰い、周りに左右されない自分なりの美意識を磨いて、その美意識で人生を豊かにし、価値ある物にして行って頂くお伝いが出来たら、それに勝る喜びは無い。

それでは「美意識のオークション」を開始しよう！

目次

第四章　日本美術、その鑑賞の流儀

企画協力／高木真明　構成／内田伸一

第一章

美術品オークションと云う世界

「オークション・ハウス・スペシャリスト」とは？

私の働くクリスティーズは一七六六年創業、世界で最も長い歴史を持つ美術品オークション・ハウスである。現在はロンドン、ニューヨーク、香港《ホンコン》を中心に世界一〇都市で、美術品に加えて宝石、時計、家具等八〇以上の分野を取り扱い、年間三五〇回以上のオークションを開催している。日本では高額商品が売れた時だけメディアで取り上げられがちだが、その商品価格帯はと云《い》うと、驚く勿《なか》れ一点四〇〇ドル位（約四万四〇〇〇円）から扱っていて、上は四億ドル（約四四〇億円）と幅広い……。なので、決して「取っ付きにくい」事は無い。

二〇一八年にクリスティーズジャパンの代表に就任する迄、私は同社の「インターナショナル・スペシャリスト・デパートメンツ」で働いてきた。これは他の企業には無い、オークション・ハウスならではの専門部署の総称だ。「スペシャリスト」とは、一言で云えば美術品を実際に扱う為に専門分野の知識を持ち、その分野の作品の「鑑定」と「査定」が出来る者の事である。其処には多種多様な分野が存在する。例えば、「コークスクリュー」（ワインのコルク抜き）のスペシャリストは、日がな色々な場所で「コルク抜き」を手で撫《な》でながら「ウーム、これは一九世紀フランス南部のモノだな、愛《う》い奴《やつ》、愛い奴……。フッフッフ」等《など》と云いながら

（云ってないかも）査定し、値段を付けているのだ。

他方、二〇一八年にはオークション・ハウスとして初めて、人工知能が制作した作品（肖像画）を扱う等の挑戦もしている。これも担当スペシャリストの発案で、今後のアートにもインパクトを与え得る人工知能を用いた作品であると同時に、クリスティーズが創業以来取り扱ってきた肖像画と云う分野でもあるとの考えから実現した。この様に、如何《いか》なるタイプの顧客にも対応出来るように様々なスペシャリスト達が居るのである。

私の専門は日本美術である。勿論《もちろん》、美術が大好きだからやっている（紆余曲折《うよきょくせつ》あっての事だが、それに就いては後述したい）。そう、日がな自分の好きな分野の作品を観て歩くのは、確かに楽しい。だが、当然楽な事ばかりでは無い。眼《め》を鍛錬し、眠れる美術品を探し出し、個性溢《あふ》れる個人コレクターやディーラー（美術商）、美術館等のオークションの顧客達と渡り合う。素晴らしい美術品を競売に掛けるにあたり、オークション・ハウスとして適正な「値付け」をする事も肝要だ。スペシャリストの人生に於《お》いては、そうした積み重ねの先に歴史的な落札の瞬間や、関わる人全てをハッピーにする結果に立ち会える事が有る。幸運な事に、私に取ってもそうした体験が有った。

本書ではそのスペシャリストの仕事に就いて少しずつ説明しながら、美術品に「価値付け」

がなされる舞台裏に就いてご紹介したい。更にはより重要なテーマとして、人が「美意識」を持つ事の価値に就いて、皆さんと考える事が出来れば幸いです。

眠れる美術品と出会う旅

スペシャリストの仕事は多岐にわたるが、最も重要且つエキサイティングな部分は、何と云っても「モノ」との出会いだろう。因《ちな》みに「モノ」とは「美術品」の事で、業界で「最近『モノ』買った?」と云えば、「最近『美術品』買った?」の意味である。この「モノ」と出会い、オークションと云う表舞台に出し、そしてそれを出来る限り高値で売る、と云うのがスペシャリストである事の醍醐味《だいごみ》なのだ。

その「モノと出会う」場は様々で、時には個人コレクター宅の茶室や蔵、古美術商の店の客間で、また或《あ》る時は美術館の倉庫だったり、また私の経験では某ホテルの駐車場に停《と》めたワゴン車の中だったり、新幹線内のデッキだった事もある。

眼を鍛錬する

では、スペシャリストが眠れる至宝の如《ごと》き「モノ」に出会う為には、一体どうしたら良いのだろうか？　その秘訣《ひけつ》を少々教えて進ぜよう。
先《ま》ず何時《いっ》でも耳を欹《そばだ》てて、情報をゲットする……。それは例えば、

①　毎朝必ず新聞を読む（「おくやみ欄」を含む）
②　コレクター達とコンタクトを密に取る（胃が丈夫でなければ為らない）
③　ディーラー達とこれも密なるコンタクトを取る（「夜外」活動等も含む）
④　美術館の学芸員や、学者の先生方とコンタクトを取る（勉強に為るので一挙両得）
⑤　美術雑誌・研究誌やサイトを隈なく読む

等だろう。

だが私が個人的に一番肝心だと思うのは、何の職種でもそうだろうが、日々勉強し十分な専門知識を持つ事。人に好かれるタイプに為り、「遊ぶ」のを厭《いと》わない事。他分野の最高級の芸術も日々見聞きし、己の芸術的センスを磨く事、の「三か条」だ。特に最後の「センスを磨く事」は非常に大事で、それはスペシャリストに取って「専門知識」に勝るとも劣らぬ程重要な、「カン」と云う物を得るのに欠かせない条件だからである。

目利きのコレクターやディーラーとは恐ろしい物で、何しろ「カン」が鋭い。その点私等ははっきり云ってマダマダなのだが、それでも時折、箱を開けた瞬間「この焼物を扱ってはイケナイ！」とか、「この作品には手を出すな！」等と私の第六感が告げたりする事も有る。そこで、こんな「カン」も存在すると云う、ひとつの例を挙げてみたい。

私が或る個人宅に掛軸の査定に行ったとしよう。先ず最寄りの駅に降りて、それから徒歩かタクシー、或《ある》いはその顧客に駅迄迎えに来て貰ったりするのが普通だが、その駅を降りて顧客の家に向かう道筋を眺めている間に、何と無くこれから観るモノ（のクオリティ）が予想出来たりする事がある。そして、そのお宅の玄関前に立った時、応接間に通された時、顧客が抱えてくる掛軸の箱を遠くから見た時の段階段階で、その「予想」は確定的に為ってくる。

もっと云えば、その顧客の顔を見た瞬間に「あぁ、今日は良いモノが観られるかも知れない！」とのカンが働き、得てしてその通りに為る事も多い。不思議な事だが、これは恐らくはその人自身と、その人が持っている作品とが醸し出す「気」の様な物を嗅ぎ取る能力なのだろうが、それもこれも「眼」の鍛錬によって得られる物なのである。

鑑定――「人を見る眼は、モノを観る眼」

人に「趣味は何ですか？」と聞かれると、普段私は「音楽鑑賞」とか「美術鑑賞」、或いは「食べる事」等と答えたりするが、実際一番ウケが良いのは「〝鑑定〟と〝査定〟です」と答えた時だ。

「趣味」とは狙い過ぎかも知れないが、実際スペシャリストは年柄年中「鑑定と査定」をして生活している。然《しか》も「鑑定」とは、云う迄も無く美術品を売る際の最も重要且つ最初のステップで、美術品の極めて難しい「真贋《しんがん》」をはっきりさせねば為らない。が、斯《か》く云う私も人の子なので、有っては為らない事だが、時折間違いを犯す事が有る。そんな時の為にクリスティーズは、オークションでの売却から五年間は真贋保証をしていて、買い手がエキスパート・レター（誰もが納得する外部の学者等のその分野の専門家の意見書）を二通用意すれば、此方《こちら》もそのレター内容によって、返金等誠実に対応する事に為っている。

だが、会社や自分自身の信用の為にも当然間違ってばかりはいられないし、スペシャリストとしては常に己の眼を磨き、世間で云う所の「目利き」に為らねば為らない。これも人からよく聞かれる質問だが、では、どうすれば「目利き」に為れるのか？　……それは出来るだけ良質の本を読み、そしてとにかく評価の定まった「（最高級の）良い作品だけ」を沢山観る事だ。

これは私が骨董《こっとう》の師匠から教わった事だが、「良い作品だけ」を観ていると、段々と「悪い作品」が判《わか》ってくる物だ。しかし先に「悪い（或いは中途半端な）作品」を観て仕舞うと、良い作品が判らなく為って仕舞う。これは後で述べる査定にも繋《つな》がる話なのだが、「鑑定」と「査定」とは、要は脳内記憶に残した「一〇〇パーセント」素晴らしい作品を脳裏に描いて、それを基に引き算をして行く事なのだ。当然、「贋物《がんぶつ》では無いが、クオリティが高く無い」と「贋物である」との境界線は何時《いつ》でも難しい。しかしこの方法を使う事によって、大きな過ちを犯す可能性を大分低く抑えられるのである。

この「良い作品だけ」を沢山観る事を教えてくれた師匠が、もうひとつ私によく云っていた台詞《せりふ》がある。それは、

「人を見る眼はモノを観る眼、モノを観る眼は人を見る眼」

と云う事だ。この百戦錬磨の老骨董商曰《いわ》く、

「モノと人とは同じなのだから、最高級の人を見抜いて、そう云う人とだけ付き合え。最高級の人格者と付き合えば、それ以外の者は自然と直《す》ぐ判る。金や地位や外見に惑わされちゃ駄目だ。茶碗《ちゃわん》だって碌《ろく》でも無いモノに限って、新しく、綺麗《きれい》で立派な箱に入ってるもんだ」

ウーム、今聞いても至言……。皆さん、深いと思いませんか？

有名コレクターの作品をゲットするチャンスは「3D」

さて此処《ここ》で質問。「最も高値を呼ぶオークション」とは、どんなオークションだと思いますか……？　その答えは、「コレクション・セール」と呼ばれるセールだ。

「コレクション・セール」とは有名コレクターや美術館、或いはディーラーが長年買い集めた名品や、ある個人コレクターの「眼」が蒐集《しゅうしゅう》した逸品の数々が一度に掛かるオークションの事で、近年クリスティーズが大成功を収めた「コレクション・セール」を例に挙げてみれば、有名ファッション・デザイナーのイヴ・サン＝ローランや、『ジュラシック・パーク』『ＥＲ』の原作者マイケル・クライトンのポップ・アート・コレクション、アンディ・ウォーホルの《キャンベル・スープ缶》を最初に買ったひとりである俳優デニス・ホッパーのコレクション・セール、そのウォーホルの作品を多数所蔵するアンディ・ウォーホル美術財団のセール、近年では大阪の藤田美術館の中国美術コレクションや、約一〇〇〇億円を売り上げたデヴィッド・ロックフェラーJr.夫妻コレクション等のセールが有る。また音楽界で云えば、ジョージ・マイケル（元「ワム！」）や、（ギターだけで何と！）二〇億円以上の売り上げを上げた有名ロックバンド、ピンク・フロイドのギタリストであるデヴィッド・ギルモアのギター・コレクション・セール等……。つまりこれらの場合、どんな人が聞いても知っている「来歴（持ち主）」

の名前がモノを云うのである。

　では、これらの「コレクション」をオークション・ハウスがゲットするのは、一体どんな時なのだろう？　その最も重要な「機会」を、巷《ちまた》では「３Ｄ」（三つのＤ）と呼んでいる。そしてこの「３Ｄ」とは「三つの英単語」の頭文字であるＤを取ったモノなのだ。

　その三語とは「Death（死）」「Divorce（離婚）」「Debt（負債）」……。どの言葉を取っても、人に取っては余り嬉《うれ》しくないシチュエーションを表す言葉であるが、大きなアート・コレクションが移動する時、誰かが美術品を売る時には、それなりの、そして時には運命的な理由が存在する。

　先ず「Death」。コレクターが亡くなり、遺族が例えば財産分与の為、或いは相続税を払う為だったり、寄付をする為にコレクションをオークションで売却する。次の「Divorce」は文字通りの離婚の事で、慰謝料が必要に為った時にコレクションを売却する。また「Debt」は、通常コレクターと云う人々は自分で事業をしている人が多いので、その本業が傾いて仕舞った時、借金返済や負債の穴埋めの為に美術品を売る、と云う事である。前述のサン＝ローラン、クライトンやホッパーのケースは「Death」に分類される。その他にも藤田美術館やアンディ・ウォーホル美術財団の様に、借金返済では無いが、美術館のリニューアル・助成金制度を作る資金を得る為の作品売却と云う大義名分が有る時も多々ある。

もう一例、稀《まれ》なケースを挙げよう。二〇〇六年、ウィーンの仲裁委員会で、ウィーン美術史美術館に展示されていた作品を含む数点の絵画が、「ナチ略奪絵画」(嘗《かつ》て持ち主、特にユダヤ人の手からナチスによって収奪された作品)であると認定する判決を受けた。その絵画の作者はグスタフ・クリムト。その昔私が学生の頃、何時間もその前から動けなくなる程強い印象を受けた絵画《接吻《せっぷん》》等で知られる、ウィーン世紀末の代表的画家である。

さて、その「ナチ略奪絵画」の認定を受けた彼の名品は、元の持ち主が既に他界していた事で、色々な段階を経てその作品に描かれたモデルの姪《めい》にあたる、八〇代の女性の許《もと》に返還された。この顚末《てんまつ》をベースにした映画『黄金のアデーレ　名画の帰還』(二〇一五年)も生まれているので、ご存知の読者も居るかも知れない。彼女はその時アメリカに住んでいた。喜ばしい返還とはいえ、美術史に残る、次代へ伝えるべき高価な大名品絵画をどう扱えば良いか悩んだことだろう。ただ、その辺美術品の世界は良くできていて、アメリカ最高裁での勝利とウィーンでのオーストリア政府との仲裁裁判の結果、老婦人への返還が決まったその時から、クリスティーズと競合他社はその新たなる所有者へのアプローチの機会を狙っていたのだ。

そしてそのクリムトの名品《アデーレ・ブロッホ・バウワーⅠ》は、クリスティーズの仲介によって、最終的に有名化粧品メーカー「エスティ ローダー」の総帥に一五六億円で売却され、今はローダー家の運営する、ニューヨークのアッパー・イーストサイドに在る極めて美しい美術館「ノイエ・ギャラリー」に展示されている。

私がこの仕事を始めた頃にこの「3D」の機会に遭遇した時は、自分の勤めるオークション・ハウスがまるで死神か疫病神の様な不吉な物に思えたりもしたが、勿論今は違う。「3D」の機会に於けるオークション・ハウスの務めとは、ひとりのコレクターが長い年月を掛けて大切に集めた美術品を、そのコレクターの名誉と共に調査研究し、美しい図録に掲載したり下見会を開催したりする事によって、新しい所有者を探して後世に残す、と云う大事な役割を果たす事なのだと理解している。

アートは人を介さねば、決して存在しないし、受け継がれていかない。そしてアートはその持ち主の人生と共に、流転して行くのである。

個性溢れるオークション・ハウスの顧客達

此処でひとつ強く云っておきたい。

それは「値段」は美術品の価値のひとつのファクターに過ぎない、と云う事だ。私の場合、職業病とでも云うべきか、美術館や博物館に行って絵や彫刻を観ても、「こりゃあ、多分一五〇万ドル位かな?」とか、「バブル時代に買ったんだろうから、今売ったら半分以下だろうなぁ」等と考えて仕舞う。しかし、云う迄も無く高額作品の質が常に高いとは限らないし、安い作品が駄作とも限らない。当たり前の話の様だが、時折人間はそんな事に簡単に騙《だま》されるので、要注意です。料理にたとえれば、所謂《いわゆる》B級グルメでも本当に美味《うま》いものは有るだろう。但しこれも、矢張り「美味しいもの」にどれだけ接してきたかによって味が判る、と云う事が有るのではないかと云う気が私はしている。このあたりは本書の後半でも、改めて幾つかの角度から述べたい。その為にも、先ず私自身が携わるオークションの世界から説明しよう。

では、そうした美術品を追い求めるコレクター達を含めた、「オークション・ハウスの顧客」とは一体どんな人達なのだろうか?

私の顧客には、大まかに云って三種類の人々が居る。すなわち個人コレクター、ディーラー、美術館である。この三者は「売り」の立場でも「買い」の立場でも、オークションに参加する。そして海外のオークションと日本のオークションとが最も異なる所のひとつは、MET(メトロポリタン美術館の正式名称Metropolitan Museum of Artの略称)やボストン美術館の様な一流美術館、延いてはスミソニアン博物館等の国立機関ですらも、パブリック・オークションで購入すると云う点ではないだろうか。オークションに掛かる作品とは一期一会、その作品を「稟議《りんぎ》」だ何だで購入決定が間に合わず、指を咥《くわ》えて見逃すなんて事は、海外の美術館はしたがらない。

また美術館や財団が作品を売却する事も、アメリカでは決して珍しい事では無い。そしてその理由は様々で、作品修復費用や建物の増改築の費用を捻出する為だったりし、二〇一二年からクリスティーズがアンディ・ウォーホル美術財団所蔵の作品二万点を売り出した理由は、財団が助成金制度を充実させる為だった。例えばMETの様な大美術館は、購入やコレクターからの寄贈等で、重複する作品を持っている場合が多い。版画や写真等のエディション物(限定部数作品)、非常に似たクオリティの工芸品等がその売却対象に為る事も多い。二〇一三年にニューヨークで開催した日本美術オークションでも、ボストン美術館の依頼で館所蔵の浮世絵を売却したのだが、流石《さすが》「来歴」の強さのお陰で売り上げはエスティメイト(落札予想価格)総計を遥かに超え、ボストン美術館、クリスティーズ共、お互いに大ハッピーな結果であった。

私が出会って来た日本美術のアメリカ個人コレクター等もそうだが、クリスティーズが扱っている様な美術品のどんな分野でも、「コレクター」と名の付く人には非常に個性的な人が多い。例えば自分が持っている時価六〇億円はしたと思われるピカソの大名品の前で、自宅に呼んだお客さんに作品に就いて説明しようとして、振り向いた拍子に肘で穴を開けて仕舞った大富豪。鉄兜《てつかぶと》に猪の毛を植え付けて、如何にも兜を被っていないが如く敵に思わせる「野郎頭《やろうがしら》形兜《なり》」をオークションに掛ける為に送ったつもりが、間違えて自分の「カツラ」（私じゃないですよ）を送って来たコレクター。はたまた会ったコレクターの顔がピアスだらけだったので、ショックの余り挨拶もそこそこに数えていたら、何と二〇個以上のピアスが顔に開いていた、一寸《ちよつと》恐ろしい版画コレクター等、枚挙に暇《いとま》が無い。

アートの「見巧者」達の美意識

だが、そうしたインパクトのある個性だけでなく強調しておきたいのは、彼等《かれら》コレクターが自分の愛する美術に向ける思いの強さ、美意識の高さである。例えば、アメリカの有名な日本美術コレクターであるジョー・プライス氏。妻の悦子氏とのコレクションは伊藤若冲《じやくちゆう》の名品等が揃《そろ》い、これ迄東京国立博物館等でもプライス・コレクション展が開催されてきたが、ごく最近東京の出光《いでみつ》美術館がその一部である一九〇点を購入し、大きな話題と為った。

私がプライス氏と初めて出会ったのは、東京にあった麻布《あざぶ》美術工芸館が閉館し、金融機関の管理下にあった収蔵作品の肉筆浮世絵をクリスティーズが売り出す事に為った際の事だ。ニューヨークでの下見会と為り、其処で初めて対面した。確か一九九八年だったと思う。その時、彼は何と或る絵の前で四時間も五時間も、動かなかったのである。どんな美術好きでも、或いは研究者でも、ひとつの絵にこれ程向き合う人が居るだろうか（前述の通り、私もクリムトの《接吻》の前で動けなくなった経験はあるが……）。更に、会場の照明を消したり、調光したりして見せて欲しい、或いは一日の陽《ひ》の移り具合でどう見えるのか等（ビューイングルーム故、リクエストに応えられる限界も有り心苦しかったが）、私も下見会で此処迄する方は未《いま》だに会った事が無い、と云う位の真剣さであった。そして彼が見尽くしたその作品は、今ではコレクションの中に収められ、二〇二〇年九月に出光美術館で公開される予定だ。

アート・ディーラーもまた然り。勿論一流のディーラーは、その名声と矜持《きょうじ》が有るが、中には超絶的に個性的で面白い人も居る。例えば数年前に惜しくも亡くなった、西海岸のG氏……。彼は元来、村上隆《たかし》等を扱う現代美術の一流ディーラーだったが、個人的に日本美術が大好きで、屛風《びょうぶ》や掛軸を私のセールから買っていた。

彼は海外アート界では決して珍しくは無いゲイで、またその一挙手一投足は、まるでコメディ映画の主人公を見ている様にいちいち劇的でユーモラスだったが、何よりその美的センスがかなり鋭かった。そんなG氏がオークション直前の或る日、出品されている掛軸に興味が有っ

たらしく、私に電話を掛けて来て唐突に聞くには、

「山口さん、君はゲイなのかな？（Mr. Yamaguchi, are you gay?）」

「いえ、私はゲイではありませんが……、その事で何か問題が？（Mr. G, I'm sorry but I'm not... is there any problem?）」

「そうじゃ無いよ。むしろ丁度いい。私はただ、あの絵に就いてストレートな（ゲイで無い）人の意見も知りたいと思ったんだ！（No, that's fine, because I want to know the straight guy's opinion for that painting!）」


優れたコレクターやディーラーは自らの美意識に則《のっと》って作品を選んでいくし、当然知識も豊富なのだが、最初から全ての判断材料を持っているとは限らない。そう云う時に、色々とサゼッションをするのも我々スペシャリストの役割と為る。

因みに、ニューヨークのアート・シーンで生きて行く為には、その世界にアーティストやディーラーとして数多く活躍するゲイの人達と仲良くした方が、色々と旨《うま》く行く……が、ゲイだろうがストレートだろうが、イイ奴はイイ奴だし、ムカつく奴にはムカつく訳だから、「ゲイと仲良くする」と云う事自体が既に可笑《おか》しな云い方かも知れない。また、よく日本人の中に「彼はゲイだからセンスが良い」「ゲイ達は一般的に美的感覚が優れている」とか、「黒人は運

動神経が良い」「リズム感が優れている」とか云う人が居るが、仮にある程度の傾向が認められるとしても、個別にはその人の資質に拠る部分が大きいだろう。だから、そう云った「先入観」は良い評価にせよその逆にせよ、私の様な仕事に於いては危険でもある。ニューヨークは、そんな意味でも人種やジェンダー、貧富の差や宗教、そしてテイストの坩堝《るつぼ》なので、「先入観」等と云う物を捨てて掛からねば、とても生きて行けない街なのである。

美術品の価格をはかる「査定」

オークションで扱う美術品や品物の「査定」に就いても、簡単に説明しておこう。査定と一口に云っても、その用途は多岐にわたる。

①「オークション・エスティメイト」(落札予想価格)

これは文字通り、或る作品をオークションに出品する際にスペシャリストが付ける予想価格の事。但しその値段はひとつでは無く、例えば一万～一万五〇〇〇ドルと云う様に幅が有る。そしてこの値段は、出版されたりオンラインで公開されたりするカタログに表記され、買う人がどの位迄競るべきかの、ひとつの目安と為る。

②「リザーブ・プライス」（底値）

これは「この価格に競りが到達したら、クリスティーズは売る権利を持つ」という価格（底値）の事で、法律上「エスティメイトの『下限』」より上に設定する事は出来ない。例えば、一万〜一万五〇〇〇ドルのエスティメイトの作品の場合、リザーブは一万ドル以下にしか設定出来ない。それは競りがエスティメイトの下限を過ぎても「売らない」事を避ける為で、そしてこの「リザーブ・プライス」こそが売主との契約条件の元と為るのである。

③「インシュアランス・アプレーザル」（保険額査定）

これは美術品の保険額査定の事。例えば個人コレクターや美術館が買った作品に保険を掛ける時、また展覧会に貸し出す時の運送中の保険額等が含まれる。万が一の時の為の数字なので、オークション・エスティメイトよりも高く付ける場合が多い。

④「エステイト・アプレーザル」（遺産査定）

これはコレクターが亡くなった後、残されたコレクションの査定を遺族から依頼される物だ。富豪コレクター等の場合、生活のあらゆる場面にアートが関わって来るので、複数の分野に跨《またが》る名品が一軒の家に相当量在ったりする。例えば前述のイヴ・サン＝ローランのコレクションの様に、印象派・近代絵画、二〇世紀デコラティヴ・アート、中国美術、写真、古代美術、シルバー等々。この場合には、クリスティーズの各分野のスペシャリストが訪れて自分の専門分野の作品を査定し、それを総合して会社として査定書を提出する。

⑤「フェア・マーケット・ヴァリュー」（適正市場価格）

この査定は特にＩＲＳ（アメリカの内国歳入庁）に提出する書類等に使用される、主に美術品に掛かる税金に関わる物である。

何《いず》れにせよ、その金額をクリスティーズが会社として承認した美術品の価格は、ＩＲＳの様な国の公的機関に対しても十分に通用するので（ＩＲＳの場合は、彼等の使う第三者機関が当然ウチの価格が適正かを調査する）、将来オークションに出品される、されないにかかわらず、顧客へのひとつのサービス・ビジネスと為っている。

が、スペシャリストが最も気を遣うのは、矢張り「オークション・エスティメイト」と「リザーブ・プライス」。この「オークション・エスティメイト」と「リザーブ・プライス」に就いて、もう少し詳しく説明してみたい。そして、これらを語るには、「オークション心理学」

自体に就いても少々触れねば為らない。

美術品の値段はどうやって決まるのか？

査定の際の「値段の付け方」に就いて。スペシャリストが作品に値段を付ける際には、実際幾つかのポイントが有る。そのポイントを大まかに云えば、

① 相場
② 希少性
③ 状態
④ 来歴

に為るだろう。

先ず①の「相場」は判り易《やす》いと思う。美術品にも当然相場が有って、それは例えば「ウォーホルの《マリリン》のシルクスリーン」と云った典型的なモノなら幾ら、「一二世紀後半の、これ位の大きさの木造地蔵菩薩《ぼさつ》で、手と足が修復されている」なら大体幾ら、と云った価格基

準が存在するのだ。②の「希少性」は、査定する作品が非常に珍しい作品だった場合、その相場を元に付加価値を付けると云う事。例えば世の中に桃山時代の屛風は数有れども、長谷川等伯《はせがわとうはく》の作品は少ない、と云う事だったり、この絵柄の壺《つぼ》は滅多に無い、と云った事である。③の「状態」も明らかだろう。これは、状態がどれ位悪いかによって、完品の相場価格から引き算をして行く、と思って頂ければ良い。だが、恐らく皆さんに取って最も興味深いのは、④の「来歴」ではないだろうか?

この「来歴」とは、その作品が辿《たど》ってきた「道」の事だ。例えば重要文化財に為っている長次郎作の黒楽茶碗《銘 大黒》を例に取ってみよう。この茶碗は長次郎の黒茶碗の中でも大振りな事からこの名前が付いているが、この茶碗程その「来歴」がはっきりしているモノも無い。

この《大黒》の来歴は、恐らくはこの茶碗の制作者長次郎に注文したであろう千利休(一五九一年没)が所持して以来、利休の婿《むこ》養子の少庵(一六一四年没)、孫の宗旦《そうたん》(一六五九年没)と千家を経て、一時宗旦門下の後藤少斎の元に移動するが、表千家四代江岑宗左《こうしんそうさ》(一六七二年没)の時代に千家に戻り、表千家七代如心斎《じょしんさい》宗左(一七五一年没)の頃迄千家在、その後三井浄貞の手を経て江戸時代中期には鴻池《こうのいけ》家に入り、戦後現在の所有者に移ったとされている。要は一六世紀後半から二一世紀の今迄、《大黒》の辿ってきた道筋、「来歴」の殆《ほとん》ど全てが判っている訳だが、この事実、四〇〇年以上の間戦争や地震の多かった日本で、《大黒》自体が失われずに残って来た事の次位に凄《すご》い事だと思いませんか……。ウーム、歴史のロマン此処に有り、ではないか！

この様に史料的価値と共に存在する美術品の「来歴」の有無は、当然価格に反映する。要は全く同じ茶杓《ちゃしゃく》だとしても、持っていたのが千利休か名も無き茶人かでは、値段が全然違うと云う事なのだ。そしてこの「来歴」にはもうひとつ重要なポイントが有って、それはその来歴に名を連ねる過去の所有者達の「名前」と「眼」が、その作品のクオリティを「証明する」と云う事に他ならないからだ。有名なコレクターが持っていた、或いは有名美術館が嘗て所蔵していたと云う事実、それが「目利き」の証明にも為るのである。「有名個人コレクション」や、「ミュージアム・ディアクセション」（美術館が不要に為った作品を売却する事）と呼ばれるオークションがよく売れる理由は、単純に其処に有る。

オークションの心理学

さて、舞台がオークションの現場に移れば、我々の様なスペシャリストは舞台裏でそれを見守る事に為る。オークションは云う迄も無く「競り」の場である。そして先ず理解せねば為らないのは、その「競り」に参加する人の中には、競り負けたい人が居ない様に、高く買いたい人も居ないと云う事だ。要は人間誰でも、出来るだけ安い価格で競り勝ちたいのである。

次に、クリスティーズがオークションで高額なハンマー・プライスを実現するには、何が一番必要か？　それは強い「アンダー・ビッダー」(二番手)の存在である。如何なる「競り」に於いても、最初はどんなに多くのビッダーが居ても、最終的には一対一の闘いに為る訳だが、ビッダーの数が多ければ多い程競りが活発に為り、値が上がって行く。また人間一度競り出すと、元々決めてあった予算を超過した後も「もう一回だけ、行ってみようか」と思い、結局その後「もう一回だけ」と何度もビッド(入札)して仕舞う人も多い。そしてこれらの人の「競り」に於いての心理要因を旨く惹《ひ》きつけるのが、「コンサヴァティヴ」(保守的)なエスティメイトなのだ。

例えば私が或る作品を観て、大体一万ドル位の作品だと思うとする。すると、普通オークション・エスティメイトとして、「一万〜一万五〇〇〇ドル」と値を付ける所だが、それを敢《あ》えて八〇〇〇〜一万ドルと付けるのである。では、それによってどう云う効果が有るかと云うと、その作品目当ての人達、特に相場を知っている人達は「安いぞ！」「こりゃぁ、買い物だ！」と思い、そして遂《つい》には「旨くすると、意外に安く買えるかも知れない……」と思うのである。

この「コンサヴァ・プライシング」の狙いは当《まさ》に其処で、この様に競りの事前に「お得感」を持つビッダーを数多く集められれば、自然と価格は上がっていく、と云う仕組みなのだ。

勿論「エスティメイト」を決める際、スペシャリストが付けたエスティメイトには売主の同意が絶対的に必要だし、売主が業者の場合には仕入れ値も有ったりするから、毎回「コンサヴァティヴで行こう!」と云う訳には行かないが、私の二〇年超の経験からも、この「コンサヴァ・プライシング」に代表されるオークション心理学を理解し、スペシャリストの付けた保守的なエスティメイトを承諾し出品した売主は、大体得をしている。

「信じる者」と書いて「儲《もう》かる」と読む(笑)。保守的なエスティメイトを付けるスペシャリストを信用する顧客には、高い確率で高落札価格がもたらされるのだ。

オークション中には何が起きているのか?

では今度は、オークションが開催されている間に一体どんな事が起こっているのか、色々な角度から紹介しよう。

現在クリスティーズのオークションには、「ライヴ・オークション」と「オンラインオンリー・オークション」が有る。「ライヴ」は通常のオークションで、オークション会場に顧客が

オークションの風景　©Christie's Images Limited 2019

集まり、オークショニアの下でパブリックにオークションが開催される物だ。参加するには四種類の方法が有って、①会場に来てビッドする。②前もってアブセンティー・ビッド（書面事前入札）を残す。③会場に繋いだ電話で会話をしながらスタッフが代わりに競る（テレフォン・ビッド）。④中継映像を見ながらオンライン上でビッドする、の四種類だ。

「オンラインオンリー・オークション」の方は、近年クリスティーズが力を入れているオークションである。殆どの場合下見会も開催せず、オンラインでのみカタログを公開し、決められた日数の間だけオンラインでのみビッドが出来る、簡単に云えば「ネット・オークション」の事だ。これが始まった当初は、二五年以上も業界に居る「前世紀の遺物」な私等は、「見も触りもしないで、高いモノ等売れる筈《はず》が無い」と正直思っていた……が、あにはからんや、二〇一九年のクリスティーズの上半期のレポートを見ると、「オンラインオンリー・オークション」の売り上げは、何と日本円で四〇億円超を記録している。そして、それにも況《ま》して驚くのが、オンライン・セールでの単品史上最高価格が、何と九〇万五〇〇〇ドル（約一億円）である事だ（アメリカの現代美術家リチャード・セラの絵画）。

此処では伝統的且つ今も主流の「ライヴ・オークション」に限って話を進めたい。皆さんも、テレビや雑誌でオークション風景の映像や写真を見た事が有るに違いない。そう云った画は大概何か重要な作品が高く売れた時の物だ。壇上で誇らしげにハンマーを振り上げる「オークショニア」と、その後ろに見える世界各国の通貨で表示された、指で数えなければ為らない位桁の多い数字、会場に溢れかえる満員の客達（客席が閑散としたオークション会場程、淋《さび》しいものは無い！）、そして電話ビッドのテーブルに集まったオークション・ハウスのスタッフ達。そう、オークションの最中には、大きく分けて二種類の人間が関わっていて、それは会場でオークショ ンを司《つかさど》る「オークショニア」と「クライアント」である。

オークショニアと云う指揮者

「オークショニア」は、文字通りオークションを司る花形。が、そのオークショニアに為るには、先ず何と云っても数字に強くなくては為らない。そして、ほんの数分の間に何億、いや何十億の作品を売る度胸が無ければ為らない。また満員で見つけ辛《づら》い会場からのビッドや、既にオークショニア・ブック〈出品作品のロット〈作品〉番号、簡単な作品説明、エスティメイトやリザーブ・プライス等が記されている、オークショニアしか見る事の出来ないノート・ブック〉に記されたアブセンティー・ビッド、電話が並んだデスクで世界の顧客からの注文を受けるテレフォン・ビッダーからのビッド、その上オークショニアの目の前の画面に現れるインターネットでのビッド迄、全て一度に把握し、適切なインクリースメント〈価格の上げ幅〉でビッドを取ると云うバランス感覚と慎重さ、そして頭の回転の速さが必要なのである。

アメリカではこのオークショニアに為るには州からの「免許」が必要である。オークショニアと云う仕事は誠に重要な役割を担っていて、公正な取引を司ると共に、何と云っても売り上げを上げねば為らないのだ。そして驚くべき事に、オークショニアに拠って、売り上げがかなり変わって仕舞うのである!

例を挙げよう。クリスティーズの元「名誉会長」に、クリストファー・バージと云う人が居る。クリストファーは元々印象派絵画のスペシャリストだったが、それ以上に彼は「二〇世紀最高のオークショニア」として名高く、映画『ウォール街』（マイケル・ダグラス主演、一九八七年）中で、ダグラス扮《ふん》するゴードン・ゲッコーが美しきダリル・ハンナ扮するダリアンを連れてオークションに赴き、現代美術を落札するシーンでも本人自らがオークショニアを演じている程だ。その彼の司るオークションは何時でも明るく誠実で、ユーモアとアートに対する敬意に溢れていて、たとえ売れ行きの余り良くないセールですら、終わった後には「結構売れたんじゃや？」と満員の顧客達に思わせるテクニックを持っていた。そしてそれを会場の顧客達に信じさせるのは、彼の極めてチャーミングな風貌と誠実な人格なのである。

彼のその崇高なオークショニア振りには、大富豪の常連の顧客ですら、私にこう云った事が有る。

「クリストファーのオークションで競り落とすたび、ハンマーが机を叩《たた》く音と共に、彼の〝おめでとう！　この作品は貴方《あなた》のモノです！〟って云う言葉を聞く。すると、競り落とした歓《よろこ》びも有るけれど、〝私は彼にそう云われたんだ！〟って云う、何か〝誇り〟の様な物を感じるんだよ！」

それは、偶《たま》に彼がオークショニアを務めるセール中に、私が電話ビッドで落札した時も同様で、クリストファーに「カツラ、良くやった！（Well done!）　この美しい作品は、君の顧客の物だ！（It's your client's painting now!）」等と云われると、自分の金で買った訳でも無いのに、彼に売って貰った事が誇らしく感じられたものである。そしてこんな「雰囲気」がオークショニアには必要で、それは嘗て私がロンドンに居た時に、オークショニアに為るトレーニングを受けた時の事を思い出せば、合点が行く。その時の講師は、何と「ロイヤル・シェイクスピア・カンパニー」から来た俳優で、彼が云うには「オークショニアは〝壇上の俳優〟で、会場に満員の〝クライアント〟と云う楽団員を操る〝指揮者〟である」との事。当に名言ではないか。

また最近では、女性のオークショニアも増えてきた。が、私が入社した頃は未だ「風向き」が違っていて、英国人女性のオークショニアがロンドンでの日本美術のオークションをやっていた時の話……オークションが進み、焼物から漆器、そして今度は武具甲冑《かっちゅう》の分野へと進んだ時の事である。彼女が刀のロットの競りを始めると、会場に居たひとりの外国人男性顧客が急に立ち上がり、こう叫んだ。

「女が神聖なる刀を競るなんて、どう云う事だ！　不敬にも程が有る！　早く男に交代させろ！」

もう一度云うが、これを叫んだのは日本人男性ではなく、外国人男性ですからね、外国人！

恐らく今のニューヨークだったら訴訟モノの発言だが、当時のロンドンではこの発言後どう為ったかと云うと、何と会社はオークショニアを男性に代えたのだった。だが「女性オークショニアの利点」も有って、当時艶っぽい事で有名だった女性オークショニアに、よく私の担当する日本美術のオークションをやって貰っていたのだが、その時に何時も最前列に座る或る常連顧客が、私にこう云った事が有る。

「あのね、私がビッドすると、一番前だから彼女と目が何時も合うでしょ。で、何回かビッドして予算の限界が来ると、当然止めるじゃない。そうすると彼女が私の目を見ながら、"No more? Are you sure?（もうお終《しま》い？　本当に？）"って聞くんだよ。予算オーバーするから"No!"って首を振るんだけど、それでも"Really? Are you really sure?（本当？　本当に本当？）"とかまた聞くんだよね。すると、何か彼女に〝何、もう終わりなの？　本当に？　情けない男ね……〟って云われてる様な気がしちゃって、〝ええい、もう一回！〟と思って、何度余計にパドル（番号札）を挙げて仕舞った事か……その分御社には余分にお金使ってますよ（笑）」

これは半分冗談みたいな話だが、オークショニアと云う「俳優」に色々な意味での「魅力」

は必要条件なのである。

買い手こそが「真の主役」

オークショニアの話は尽きないが、オークションに於ける真の主役は、云う迄も無く「顧客」なので、今度はオークション中の「顧客」の話に移ろう。

オークションに来る「顧客」には三種類の人々が居て、先ずは「見物する人」。見物と云うと聞こえが悪いが、彼等には例えば「今回は買いたいモノが無いが、売れ行きを確かめたい」、或いは「あのコレクターとお近付きに為りたい」と云った思惑も有るだろう。何時でもマーケットの現場に居る、と云う事は重要な事である。

次には当然「買う人」。彼等はもう必死である。例えば、自分の欲しいロットが近付いて来ても一向にポーカーフェイスで、予《あらかじ》めオークション会社のスタッフと決めておいた「サイン」でビッドをするバイヤー。私の経験で云えば、「眼鏡を触っている間は、ビッドする」とか、「胸ポケットにハンカチを入れたら、ビッドを止める」とか、もう野球のブロックサインなんか目じゃない位に、色々なサインが使われる。

また逆に、自分がビッドするロットが近付くに連れて顔面が徐々に高潮し、その儘《まま》「気合」

でビッドする人も居る。一度大変な事が有った。それは私の担当オークションで、歌麿《うたまろ》の物凄く貴重で状態も素晴らしく良かった代表作、枕絵本《歌まくら》を売った時の事だ。何しろ作品のクオリティが非常に高かったので、金額はドンドン上がり、予想価格の上限を上回った頃、ひとりの欧米人男性が通路に飛び出し、ビッドは未だ一九万ドルなのに「二四万ドル！」と叫んだのだ。

海外のオークションでは、買い手は価格を口に出してはいけない（金額は決まった上げ幅で、オークショニアによって告げられ、買い手はその「次の金額」に対してパドルを挙げ、自分のビッドを表明する）。そしてオークショニアが次に告げるべき金額が「二〇万ドル」であったにもかかわらず、である。が、こんな時はまぁルール違反ではあるが、オークショニアはその男性の二四万ドルのビッドを取り、「次は二六万ドルです」と告げると、別の買い手のパドルがスッと挙がった。すると「二四万ドル」と叫んだ買い手は即座に、次のビッドが二八万ドルにもかかわらず、今度は「三〇万ドル！」と絶叫した！

この儘彼が買えれば良かった……が、世の中そうは問屋が卸さない。直ぐに別の買い手が三二万ドルをビッドし、叫んだ三〇万ドルがリミットだったらしい買い手は通路に立ち尽くし、未だ競りが続いているにもかかわらず、パドルを床に叩きつけ、呪いの言葉を吐きながら足早に会場を去って行った。因みにこの歌麿のハンマー・プライスは三八万ドルであった。

また先年、競合他社の日本美術オークションに於いて、大変不幸な事件が起きた。オークション開催中、或るロットにビッドしていた男性顧客が突然倒れ、その儘意識不明と為り亡くなって仕舞ったのだ。その顧客はディーラーで、元来高血圧と心臓に問題を抱えていたらしく、ビッド中に発作を起こして仕舞ったらしい。プロたる者が買うと云う行為に大興奮した訳では無いだろうが、しかしオークションでは落札する時に一種の興奮状態にある事は多いに違いない。

一番緊張しているのは売り手？

さて今迄書いてきた様に、オークション中の「主役」は「買い手」としての顧客である。が、では三種類の顧客の内一番緊張するのは誰かと云うと、それは意外にも「売り手」の顧客なのだ。

説明しよう。「オークションに来る」と聞くと、通常「買いに来る」人と考えがちだが、そのオークションに「出品している」人も会場に来る事が意外に多い。その理由は、自分が出品した作品が、幾らで落札されるかを自分の眼で確かめたいと思う人が多い事と、前に記した

「3D」では無いが、矢張り「売る」には何某《なにがし》かの「理由」が有ると云う事だ。

当然出品者によって「理由」はマチマチだが、会社が倒産しそうだとか、高額な医療費を捻出する為であるとかの、深刻なケースも少なくない。そう云った場合、「値段が思ったより高く為らなかった」と云う事は勿論そうだが、何よりも恐ろしい結果とは「不落札」(BI：Bought In) なのだ。期待していた金額に届かないばかりか、一銭の金にも為らなかった場合の落胆は大きい。例えば買い手は欲しい作品が買えなかったとしても、似た作品やその作品が何れマーケットに戻ってくる可能性も有るから、謂わば「次」がある。が、「3D」の出品者に取っては「次」は無い場合も有るのだから、自分の出品作の番が来た時の緊張は計り知れない。が、出品者に取って別の「緊張」のケースもある……。或る高額な作品を売却した時の事だ。

その作品はかなり重要な作品で、オークション前から高値を呼ぶと想像されてはいた。そしてその作品の出品者であるご夫婦は、オークション当日に会場にいらっしゃり、隣に座った女性スタッフの説明を聞きながら、作品の売れ行きとその行方を見届けようとされた。そしてその作品の競りはゆっくりと始まったが、価格はどんどん上がり、エスティメイトの上限もとうの彼方《かなた》に消え去り、その桁をひとつ超えそうに為った頃、出品者の奥様の顔は強張《こわば》り始め、とうとう一桁を超えた頃には、スタッフの手を確《しっか》り握り締めた儘、震えだして仕舞った（と、その時の女性スタッフに後で聞いた)。結局その出品作品はエスティメイトの一〇倍で売れ、控えめで堅実な売り手のご夫婦とはその晩美味しい食事をご一緒して歓びを分かち合ったのだが、奥様にその時の事を尋ねると、「余りに高くなって、怖くなって仕舞ったのです……」と答えられた。こう云った売り手の顧客には、オークションの神様は必ず微笑《ほほえ》むのである。

日本美術品の史上最高価格の誕生

二〇〇八年三月一八日、オークションに於ける日本美術品の史上最高価格が誕生した。作品は《伝運慶《うんけい》作 木造大日如来坐像《ざぞう》》、落札価格は一四三七万七〇〇〇ドル(当時約一四億三〇〇〇万円)であった。落札者は百貨店の三越だったが、後に真のバイヤーが宗教団体「真如苑《しんにょえん》」だった事が判明し、大きな話題と為った。そしてこの仏様は、翌二〇〇九年に国の「重要文化財」に指定され、クリスティーズが売った最も重要な日本古美術作品と為った。

……と云う話を詳しくしようかとも思ったけれど、本当に興味深いのはこの「結果」よりも、何方《どちら》かと云うとオークションで売れる「迄」の話なので、そちらを書く事にする。

話はオークションの一年以上前、匿名の封書が東京のオフィスに来た所から始まる。当時、日本出張に行く時は日頃から大変助けて貰っていた、クリスティーズのジャパン・オフィスの

I君から見せられたその封筒には、この大日如来像が掲載されている東博（東京国立博物館）の研究誌「MUSEUM」が入っていて、一緒に入っていたオークション・エスティメイトの依頼が記された手紙には、何故《なぜ》か署名が無く、だがオーナーの物らしき「メルアド」だけが記されていた。

そしてそのメルアドで連絡を取ると、日時を指定して来た上で、

「今〝仏様〟は東京国立博物館で展示されているので、其処で会いたい」とのお返事。

「お会いした事も、お名前も知らないのに、どうやったら貴方だと判るのですか？」と尋ねると、

「此方が貴方達を判るから、問題ない」と云う。

まるでスパイ映画ではないか！　I君と顔を見合わせ、「こりゃ何かの冗談では？」等と話し合ったが、好奇心の強いのがスペシャリストの性《さが》。ふたりで東博へ赴く事にした。その当時この大日如来像は、東京文化財研究所でのX線検査等を終え、東博にて厳重に管理・展示されていた。この仏像の重要性は、現在清泉女子大学教授の山本勉《つとむ》先生に拠る、綿密な「運慶作」のアトリビューション（作者特定・作品帰属）研究と、この東文研でのX線検査に拠って確定的と為っていた。それは運慶作品によくある様にこの仏様の刳《く》り抜かれた内部に納められた

三つの「納入物」、すなわち水晶の球をブロンズで作った葉に載せて蓮《はす》の実に見立てた「心月輪《しんがちりん》」と、水晶の五輪塔、そして恐らくは願主・年記・作者等が墨書されているであろう五輪塔形の木柱とが、X線写真に写っていたからに他為らない。

また仏像の底を漆で固め、封印して有る「札」が未だ残っていて、その事実はそれらの納入物が「八〇〇年間」一度も取り出されていない、業界で云う所の「ウブ」な状態である、との証《あかし》である上に、この仏様の表面の状態も、欠け易い指や耳朶《じだ》も完璧に残っていると云う、奇跡的と云って良い程に素晴らしい作品であったのだ。

国宝級の仏像、ニューヨークへの旅

さて、そのスパイ映画の如き待ち合わせの当日。東博に向かったI君と私は、先ずは展示してあった大日如来坐像をジックリと拝見。作品を観ては何度も辺りを見渡し、それらしき人が居ないかを確かめたが、判らない。よくよく考えれば、こんな馬鹿げた映画の様な事は、有り得ないのではないか？　誰かが仕掛けたタチの悪い冗談なのでは？と再び思った事を、此処で告白せねば為らない。そして仏様の展示ケースから離れ、出口に向かった時、或る男性に不意に声を掛けられた。それがオーナーとの初めての出会いと為った。そしてオーナーから聞いた

「売る理由」は、これだけ重要な作品を個人で持つ事は、保管等色々な意味で不可能である、と云う事だった。

その後、何回も打合せをし、サザビーズとのエスティメイト（彼等のエスティメイトはかなり低かったらしい）の競合にも勝った末、漸《ようや》くクリスティーズのオークションへの出品が決まった。その後も新聞一面にスッパ抜かれた「運慶　米で競売へ　文化財未指定　海外流出の恐れ」の見出しに驚いたり、元々この仏様が在った可能性の有る地域で「売却反対運動」が起こったりもしたが、何とか無事に先ずは東京での下見会、そしてニューヨークでの下見会に漕ぎ着けた。

後から思えば、八〇〇年間日本から一度も出なかった仏像が、結果的にはたったひと月だけニューヨークに出掛けて、結局再び日本に戻った訳だが、ニューヨークでの一週間の下見会はそれこそ大フィーバーだった。

クリスティーズはオークションの下見会を、オークション当日迄五日間程一般公開して行うのだが、この期間これも誰でも参加出来る学術的レクチャーを開催する。そしてこの時私が企画した、この仏様をフィーチャーした「鎌倉彫刻と慶派」に関するサム・モース先生のレクチャーも最高に面白く、大盛況であった！　そして下見会を訪れた外国人達の中には、先ず仏様に頭を下げ、中には手を合わせる人も居たが、私の同僚で当時中国美術部門の部長をしていたアメリカ人女性等は、「何て美しいのだろう」と涙を流した程……そう、この仏様は「胎内に何が入っているか」、或いは「エスティメイトが幾らか」と云う以前に、それ程人を感動させる究極的な美しさを備えていて、それは「信仰の力」の威力とでも呼ぶべき、崇高な美の力であった。

また或る時、何処からかこの作品の情報を聞き付けて来たらしい、コロンビア大学医療センターの先生から私宛に電話があった。何事かと聞くと、「我々の最新式のファイバー・スコープを使えば、胎内納入物を見て撮影出来ると思うが、やってみないか？」と云う。成る程、この仏様は耳に穴が開いていて、其処からスコープを入れる事が可能かも知れなかったが、「これは買った人の〝お楽しみ〟なんです」とお断りした。その為に「運慶作」の前に、「伝」（英語での表記は Attributed to）を付けていたのだから（それと万が一内部が傷つくと大変ですから）。

＊追記：二〇一七年に東博で開催された「運慶」展図録には、「ボアスコープ」を耳孔から挿入して撮影した五輪塔形の木札の写真が掲載されている。

トップ・コレクターが持つ〝歴史の一部〟を預かると云う意識

もう一点非常に印象的だったのは、この作品に非常にシリアスに興味を持っていた外国人顧客が、私に何回も、「この作品を買ったら、家に飾る場合、どの様に保管したら良いと思う？湿度を管理出来る、特別な展示箱を作ったら良いのか？　それとも美術館に寄託した方が安全かな？」と聞いてきた事だ。要はその顧客に取っては、値段等或る意味どうでも良くて（現にそれ位のお金持ちだったが）、自分が仏様の新オーナーに為った時の作品の保存の仕方だけを心配していた訳で、それは何しろ「今現在の状態を劣化させずに、後世に伝える」と云う、世界の如何なる美術品の分野に於ける「トップ・コレクター」達でも皆考える、「自分は〝歴史の一部〟を、ほんの一瞬預かるだけだ」と云う非常に謙虚な発想から来ている。

それなのにオークション終了後、日本の有名美術誌が「海外の金持ちがその価値もよく判らず、部屋の本棚の空いているスペースにポンと置いて仕舞う可能性の有る外国のオークション等に、この様な重要な日本美術品を出すべきでは無い」等と書いたので、私はもう本当に怒り心頭だったのだ！

君達は外国の日本美術品コレクターの、一体何を知っていると云うのか？　私が日本に住む「日本人」の家や蔵で、どれだけ大量の「状態の酷《ひど》い」日本美術品を見て来たと思っているのか？　本気で「外国人には日本美術の価値が判らない」と思っているのか？　……と云う事は、日本人は絶対に西洋美術の価値が判らないとでも？　君達は若冲コレクターのプライス氏や、日本でも展覧会を開催している、ファインバーグ氏やウェバー氏の日本美術コレクションを観た事が無いのか？　あの作品群が「装飾品」のレヴェルだったり状態が酷いとでも？　これ位で止めておくが、日本の有名美術誌でもこのレヴェルなのだから、辛い。

そしてもう一点、

「宗教・信仰に関わる美術品を売買する等、トンでもない。然もこれ程重要な仏教美術を、海外で売り飛ばすとは！」

と云う意見も私の耳に多く入って来た。その気持ちは判らないではない。が、それら扱う人間に「扱わせて頂いている」感覚が有れば、良いのではないだろうか？　私はその上で、世界の宗教美術からその良き精神を学び、その宗教を信仰する民達を理解尊重すれば、今のパレスチナ問題すら解決出来るのでは、と思う。さもなくば、日本の美術館に在る全てのキリスト教美術（当然「購入」されている）や、元来外国の宗教であった仏教の美術品が、その宗教の発祥の地からすると「外国」である日本に在る意味が無い、と云う事に為って仕舞う。

重要な事は、「学ぶ姿勢」である。日本人がキリスト教や仏教から「何か」を学ぶ様に（家が神道で、カトリックの学校に一四年間、プロテスタントの大学に五年間通った私もだ！）、そして外国人達がこの仏像の前で自然に手を合わせ、涙した様に、だ。

皆をハッピーにさせた奇跡の「仏像」

この《伝運慶作　木造大日如来坐像》の思い出は尽きない。が、一点だけ欲を云わせて貰えば、実は個人的には、この作品は外国に残しても良いと思っていた。それは「快慶」の作品は在っても、「運慶」の作品は一体も日本国外に存在しないからである。

運慶は海外で、「東洋のミケランジェロ」と呼ばれる事も多い。クラフトマンよりもアーティストを重要視する海外で、然も日本彫刻史上最高の彫刻家のひとりである運慶の作品がアメリカの美術館に在れば、この作品を通して日本美術全体のクオリティの高さ、精神性の高さ、延いては日本の素晴らしさを外国人達が学べる事は必至。そしてそれは、例えば日本の美術館にミケランジェロの名品が在って、それに感動した日本の若者に「何時の日か、イタリアに行ってミケランジェロを沢山観るぞ！」と思って貰いたいのと同じ事だ。

が、私の持論から云っても、美術品は「行くべき所に行く」と云う事で、結局この仏様は日本に残る事と為った。そして全ての下見会とセール、最後の日本への運送後では、クレート（輸送箱）を開けた美術品運送のプロの人が驚く位、一片の木屑《きくず》も箱の中に落ちていなかった程、この仏様の状態は完璧だった。

そして先に記した大成功のセール結果は、高額で売却する事の出来た売り手、信仰の為の「ご本尊」を入手出来た買い手、そして手数料を手にしたクリスティーズ、日本に戻り「重要文化財」に為った作品を観る事が出来る日本国民の全てがハッピーと云う、私に取っては今迄のオークション人生に於いて最高の思い出と為った、奇跡的な仕事に為ったのである。

「プライヴェート・セール」で里帰りした「コレクション」達

さて今迄書いて来た様に、オークション・ハウス・スペシャリストたる私は、オークションに出品する作品を探し出して鑑定し、査定し、売る事を生業《なりわい》としているのだが、オークション・ハウスは実はオークションだけで美術品を売却している訳では無い……。もうひとつセールの方法があって、それは「プライヴェート・セール」と云うやり方だ。スペシャリストが作品を売り手から預かり、オークションに出さずに、極秘に買い手を探して売却すると云う所謂「相対取引」の事で、この場合も、クリスティーズはオークション同様売り手と委託契約を結び、手数料だけを頂く。ではこの「プライヴェート・セール」に適しているのは、どんなケースか？ それは例えば、自分の持ち物が世間の眼に晒《さら》されるのを嫌がる人、売値・買値を世間の人に知られたくないコレクターが主だが、此処数年私が尽力しているケースは、①ある特定の買い手に買って貰いたい、②コレクションを散逸させずに売却したい、と云う売り手の希望を叶《かな》える物だ。

そこで此処数年の成果を此処に記せば、①の例では後で述べる石庭で有名な京都の龍安寺《りようあんじ》の襖絵《ふすまえ》、②の例では「マネージメントの神様」P・F・ドラッカー博士のコレクション、そして最近出光美術館が購入を発表して話題を呼んだ、奇想の絵師伊藤若冲を中心とするプライス・コレクション等だろう。特に②の場合は「コレクションの散逸を防ぎ、一箇所に纏《まと》めて収める」と云う大義を満たし、それに相応《ふさわ》しい「人や場所」を探すと云う大仕事が有るのだが、その分やり甲斐もあり、成功した際の歓びも大きい。

オークションはある意味フェアで、誰でも最高価格を付ければ買う事が出来るが、プライヴェート・セールではそうはいかず、お金だけでは買えない……。それは「縁」や「タイミング」、また色々な意味での「意思」が働くからだ。そしてこの事実に私は、「モノは行くべき所に行く」を痛感させられるのである。

第二章

私のアート半生記

私とアートの半世紀

此処で、私がクリスティーズで働くように為る以前の個人史も話しておきたい。それは、このオークション・ハウスに於ける日本美術のスペシャリストである私が、美術に対し抱いている価値観とも関わるものだからだ。

私は東京神田の生まれの三代目、俗に云う「江戸っ子」だ。亡くなった私の父は旅館の末っ子だったけれど、体が弱く、学者の道を選んだらしい。日本古代史から始めた彼の研究生活は、次第に神道研究の方へと向いていった。結局「日本最古の美術雑誌」である日本美術史誌「國華」に初めて書いた論文が垂迹《すいじゃく》美術についてだった様に、最終的に神道美術へと辿り着いた。母は、秋田の山奥の歴史の古い神仏習合の神社のひとり娘で、進学した東京の大学で大先輩だった父と知り合ったらしい。

当初は神道美術研究を専門とした父だが、師事していた教授の、「君、〝天界〟の事を知りたいなら、先ず〝下界〟の事を知らなきゃ駄目だよ」の一言で浮世絵を勉強する事と為る。結局死ぬ迄「天界」には戻れず、浮世絵の研究者として生涯を全うした。

そんな父は「今光琳《いまこうりん》」（絵師尾形光琳の事：遊び人で身上を潰しかけ、仕方なく絵を描いた）と呼んでも良い位の、良く云えば「趣味人」とも云える、所謂古いタイプの「遊び人」だった。学生時代からの合気道は七段、お茶名を貰った裏千家茶道と観世流のお能を習い、他の趣味と云えば歌舞伎鑑賞と、カラオケで歌う演歌。一方、当時未だ世間に沢山居た「日本男児」系父親の例に洩《も》れず、長男の私を、跡取りとしての「日本美術史家」にしたがった。

そうして私は、物心がつくと、先ずは親族中で両親・叔母ふたりの計四人がやっていた茶道とお能を嗜《たしな》まされた。子供に取っては美味しくも無いお抹茶を足が痛くなる茶室で飲まされ、一〇分位居眠りをしてハッと起きても、舞台の上では何ひとつ変化の起きていない、退屈極まりないお能を観せられる生活を強いられたのだった。

「日本美術史家養成ギプス」

父が私に与えた、アニメ「巨人の星」の星一徹並みの「日本文化スパルタ教育」の真髄は、実はそんな物では無い。例えばNHKの「大河ドラマ」は必ず父の隣に座って観ねば為らず、放映中は父からの急な質問に備えねば為らない。例えば「関ヶ原の戦いで、西軍に付いた武将を三人云ってみろ」「三代将軍実朝《さねとも》を暗殺したのは誰だ?」と云った質問だったが、答えられない時は、「君（父は私を何時もその様に呼んだ）、そんな事も判らないの？　駄目だねぇ……」

と云う言葉に傷付きながら、父の書斎に駆け込み、調べ、答えを持って父の許に走り帰ったものだった。

極めつきは、小学校に入ってから行われた、京都・奈良旅行だろう。それは父が私と私のクラスメイトをふたり連れ、在京都・奈良の神社仏閣や博物館を巡る勉強旅行で、湿った雰囲気の社寺や博物館で薄汚れた様にしか見えない仏像や建築、薄暗く地味な茶室や襖絵を数多《あまた》観させられた末、疲れ切った帰りの新幹線ではまた、「聖徳太子が〝高麗尺《こまじやく》〟で作った寺は何寺だ?」「聚光院《じゆこういん》の襖絵を描いたのは、狩野《かのう》の誰だ?」等と父にテストされる。答えられないと、何とお弁当を買って貰えないと云う、誠に酷い仕打ち。

この話を、現在最も忙しく活躍されている日本美術史家のY先生にしたら、「山口君、それって〝日本美術史家養成ギプス〟じゃん!」と笑われた程だが、「法隆寺の伽藍《がらん》配置を図に描いてみろ」等と四六時中父親に問われる子供が、日本文化に関わる如何なる物をも大嫌いに為って行った事は、皆さんにも十分理解して頂けると思う。

音楽と映画で開かれた西洋文化への扉

「アートの遺伝子」を持って生まれ、「日本美術史家養成ギプス」をはめられた子供も、中高生に為るに連れ、次第に友人や、丁度その頃創刊された雑誌「ポパイ」等に、人並みに影響され始める。そして其処で学んだ、其れ迄見た事も聞いた事も無かった音楽やスポーツ、アートや外国映画の数々は、「家」で培われた私の狭く「和」な価値観を粉々に砕き去った。

クイーンやレッド・ツェッペリン、ディープ・パープル等のブリティッシュ・ロックや、ドゥービー・ブラザーズやイーグルスのウエスト・コースト・サウンドにかぶれた日々。また、スティーヴィー・ワンダーの「愛するデューク」のミュージックヴィデオを初めてテレビで観た時や、武道館でアース・ウインド&ファイアーの公演を観た時は本当に吃驚《びっくり》した。ブラック・ミュージックが持つリズム、メロディー、ノリ、そしてダンスや衣装等の全てが斬新で、彼等の音楽は私の胸の奥底に隠されていた、そして今でも持ち続けようと心掛けている「ファンキー魂」の様な物を引き出してくれた。川端康成もドナルド・キーン先生も驚く「ファンキーな日本の私」に為って行ったのである。

それは高校生後期から始まったディスコ通いや、大学生時代に齧《かじ》っていたDJ、そして当時は将来一九年近くも住む事に為るとは思いもしなかった、数回に及ぶニューヨークへの旅を私にさせる事に為った。

人生に影響を与えたと云う点では、「映画」も忘れては為らない。小学校高学年の頃、事情が有って家族は東京の郊外、中央線沿線の国立《くにたち》に引っ越した。国立市は一橋大学を擁し、近くに音大や美大も多い。所謂古き良き昭和的な、典型的な学生街だった。また小説家やアーティストが多く住む（山口瞳、忌野《いまわの》清《きよ》志《し》郎《ろう》も）、一寸アーティスティックでアングラっぽい街でもあった。

私が小学生から最も通ったのは、今は無き名画座「国立スカラ座」である。この映画館には感謝をしてもし切れない恩義が有って、何故なら私は人生に関わる略《ほぼ》全ての物事を、この映画館で学んだと云っても過言では無いからだ。

生まれて初めて神保町で観た映画が『男はつらいよ』だった私は、国立スカラ座でチャールトン・ヘストン主演の『十戒』（一九五六年）と云うモーゼを主人公とした一大スペクタクル長編（上映途中に休憩時間が有る）を観て以来、外国映画の魅力に取り付かれる。それから毎週の様に一〇〇円玉を数枚握り締めて、恰《あたか》も『ニュー・シネマ・パラダイス』（一九八九年）の少年の如く、国立スカラ座へと通い詰めた。

映画館の人は優しく接してくれたし、そして私はこの国立スカラ座で、その後の人生で経験する事に為る恋愛や嫉妬、人の命や運命、暴力と平和、親子や他人、自然や想像力、歴史と未来を予習し、ヴィスコンティやベルイマン、キューブリック、トリュフォーやゴダールからは

「ヨーロッパ」を、マイク・ニコルズやロバート・アルトマン、シドニー・ポラックやコッポラからは「アメリカ」を学んだのだった。

新しいアートとの「第三種接近遭遇」

襖絵や仏像を散々強制的に観せられた一〇代の「和」少年が、そんな魅力的な洋楽と外国映画を一度知って仕舞ったら、歌舞伎や能、狩野永徳や横山大観なんかに興味を示す訳が無い。気が付けば、私は父の書庫に積まれている浮世絵や日本美術の本を掻《か》き分けて、ゴッホやロートレック等の印象派の展覧会図録を見つけては読み耽《ふけ》り、前述した「ポパイ」等の雑誌で紹介されていた、ウォーホルやリキテンスタインと云ったポップ・アートの画集やポスターを眺めたり、友人から借り出した（かなりエッチだった）メイプルソープの写真集等を、羨望の眼差《まなざ》しで眺めたりしていた。

特にポップ・アートとの邂逅《かいこう》は衝撃的で、「これって、唯の漫画なんじゃ？」としか思えないモティーフや、写真がキャンバスに印刷されていたり、ガラクタの様な物をキャンバスにくっ付ける技法、ポップ以外の所謂現代美術と呼ばれる中でも、「男子トイレ」をその儘置いたアート（今でこそ「あれを世に出したマルセル・デュシャンは凄い！」とか云ってるが）等、それ迄知っていた「アート」とは、全く体を異にする驚くべき作品ばかり。

因みに西洋アートに目覚めて仕舞った「外国万歳」男子の最初の海外ひとり旅は、大学に入った年に行った、ウィーンとパリ四泊六日のパック旅行だった。この旅の目的は唯ひとつ……当時私がハマっていた、世紀末の巨匠グスタフ・クリムトによる一大傑作、《接吻》の実物を観る事である。

この退廃美の極致的な作品を私が知ったのは、高校生の時に国立スカラ座で観たニコラス・ローグ監督の映画『ジェラシー』(一九七九年)だった。アート・ガーファンクルとテレサ・ラッセル主演の同作は、ウィーンを舞台にした物語。トム・ウェイツやキース・ジャレット等、酷くセンスの良い音楽をバックに繰り広げられる愛憎劇で、当に原題の『Bad Timing』に翻弄される男女を描いた作品だ。劇中で重要なモティーフと為るのがクリムトの《接吻》で、この映画を観るや否や、私は居ても立っても居られず、将来外国に行く機会が有れば「先ずウィーンに行き、この絵を観よう」と心に決めていたのだった。

今から三〇年以上前、《接吻》の前に立ったあの時の感動を、私は今でも忘れられない。《接吻》の前に立った私は、三時間以上もその前から全く動けなくなって仕舞ったからだ!アートを生業とする今の仕事に就いて二七年、いや、アートを意識して観る様に為って四五年、これ程長くひとつの作品の前で動けなく為った事は未だに無い。

この作品が私にそれ程のインパクトを与えた最大の理由は、思うにこの《接吻》と云う絵に、何しろ未だ一〇代だった私が「考えざるを得ない物」ばかり見つけて仕舞ったからなのだと思う。《接吻》は豪華な金色、赤や緑等の原色を多用した、派手で超装飾的な絵で（そして、まるで金砂子や金箔《きんぱく》に見える技法や「藤花」文様等、此処にも「和」的な要素が！）、恰もマーラーの交響曲が金管を多用しているにもかかわらず陰鬱である様に、「退廃」や「絶望」と云った暗いイメージばかりを私に押しつけて来る。そんな官能的な絵を私は嘗て観た事が無く、「堕ちて行く時は一緒」、或いは「道行」的と云っても良い、私に取っては限りなく未知の男女の愛を描いたこの作品の持つ、「淫靡《いんび》な大人の薫り」を余りに魅力的に感じて仕舞った。

突然「和」の如く

そうして私は高校時代と浪人時代を経て、何とか大学の仏文科に入る。大学でバルザックやモリエール等の仏文学に中々馴染《なじ》めず悶々《もんもん》としていた私は、小説家や音楽家、印象派の画家達が集う一九世紀パリのサロンやカフェ文化に、やっと興味を見出《みいだ》した。そして、一九世紀後半のパリでの芸術家交流と「ジャポニスム」の運動が、私に「日本回帰」へと大きな舵《かじ》を切らせたのだった。

「アメリカ万歳・外国万歳」を日本の中心で叫んでいた私が、例えばモネやゴッホ、ロートレック等の後期印象派の画家達が、伊万里《いまり》等の輸出陶器のパッキングに使用されていたと云われる浮世絵版画を発見し、多大な影響を受け、はたまた蒐集し、自らのアートにその模写や構図、技法の転用をした事、或いはドビュッシーが「交響詩『海』」の初版スコアの表紙に、今では「世界で最も有名な日本絵画」として名高い、葛飾北斎《かつしかほくさい》の《冨嶽《ふがく》三十六景・神奈川沖浪裏《なみうら》》を使ったりした事を知った時の驚きは大変な物だった。その驚きは次第に「日本美術もやるじゃん！」的な、「日本美術への尊敬」へと姿を変えて行ったのである。

それ迄のヨーロッパ絵画の概念をぶち壊した、大好きだった印象派の絵が、あれだけ私が毛嫌いしていた日本の、それも「和の鉄人」の父が専門とする浮世絵の影響下にあったなんて……。若い時の価値観の崩壊なんて、意外と簡単に起こる物だ。

が、しかし私が思うに、日本のアートが世界の美術に大きな影響を与えたのは、美術史上で大きく云えば三度だけ。それは先ず今迄述べた様に、印象派の画家達に「浮世絵」が多大な影響を及ぼした時。次に一九世紀末のクリムトの絵画や、二〇世紀に入ってからのエミール・ガレやティファニー等のアール・ヌーヴォーに影響を与えた、装飾性の高い「琳派」の意匠の流行時。その後アメリカでは、浮世絵のコレクターであった建築家のフランク・ロイド・ライトや、鈴木大拙によって戦後アメリカで禅思想が流行した時の作曲家ジョン・ケージ等への影響も有っただろうが、美術に於ける大きなムーヴメントとしての三回目は、嘗ては「サブカル」と呼ばれたが、今や英語と迄為ったマンガやアニメ、オタク、コスプレや「カワイイ」等が影響を与えている、「今現在」では無いだろうかと考える。

例えば世界的に活躍する現代美術家村上隆のアニメ風のアートには、実はその根源に日本美術の伝統的手法とコンセプトが有る。また、草間彌生《やよい》のドット・ペインティングは、「市松文様」を生み出した日本人が持つ、卓越した装飾性に溢れた作品である。また、歌舞伎の語源「傾《かぶ》く」から生まれた「傾《かぶ》き者」が桃山時代に生み出し、その後「竹の子族」や「アムラー」、「ヤマンバ」に発達した日本のストリート・ファッション。「絵巻物」を起源とする「アニメ」迄、世界のアート界は謂わば二一世紀の「プチ・〝ジャポニスム〟」的状況と云っても過言では無いからだ。

こう云った世界美術史の中での日本美術の重要性と影響力を考えると、ジャポニスムとの邂逅によって、成人して間も無かった私の身に突然起こった日本美術への尊敬と「和への回帰」は、或る意味当然の事だったのかも知れない。

「ニューヨークへ行きたいか?」

そうして「日本回帰」への舵をほんの少し取った私を次に待っていたのは、人生の最大事「就職」問題だった。

当時一寸勉強していた映画や、DJをしていた音楽、そして大好きだったアート、その何れかを生業にしようと漠然と考えていたのだが、結局自分の「本当にやりたい事」が見つからず、映画・音楽・アートの内のどれひとつにも仕事を決められなかった私は、先輩の甘言に乗って当時大盛況で大量に人を採っていた、広告会社へと入社したのだった。

私が入社した半外資系の広告会社での仕事は、タレントを起用したテレビCMを花形クリエイター達と作ったり、当時珍しかった、番組の途中にCMを一切入れずにDJが音楽を繋ぎっ放しにすると云う、FMラジオ番組の制作に関わったりして意外と面白かった。だが、何せバブルの好景気の時代。夜一〇時頃迄仕事をした後、銀座や赤坂、六本木に繰り出して領収書を貰う為に呑《の》み、その後またステュディオに戻って朝迄広告撮影したりする、と云った異常に忙しい毎日に、私は体調を崩して仕舞った。「これが本当に自分のやりたい事なのか?」と思っていた矢先の事、大学で教鞭《きようべん》を執っていた「和の鉄人」である父が、サバティカルイヤー(研究等の為の長期休暇）を取り、一年間ニューヨークをベースに、アメリカの美術館に収蔵されている浮世絵の調査をする事に為ったのだ。

父が云うには、「自分は全く英語が話せないから、〝鞄《かばん》持ち兼家事手伝い〟で一緒に来い。一年間喰《く》わせてやる」との事。確かに「学者バカ」だった父は、ひとりでは如何なる切符も買えないに違いない。のこのこ付いて行った私は、父に連れられて倉庫迄入れて貰ったMETやボストン美術館、シカゴ美術館等で、国宝・重要文化財クラスの奇跡的な品質と、丁寧に保存された素晴らしい状態の、膨大な量の日本美術品を目の当たりにする事に為る。

「何故アメリカの美術館は、これ程の量の日本美術をお金を出して買い、保存し、世界から来る人々に観せているのだろう？」

この大きな疑問はやがて、後に私の日本美術人生に於ける指針と為る。こうして、私の「日本回帰」は決定的な物と為っていくのである。

クリスティーズとの縁

此処から先は、クリスティーズでの私のキャリアの話に為るが、今回は最小限に留《とど》めておこうと思う（何時かまた、別の機会に書く事が出来れば幸いです）。

父親との慣れないニューヨーク生活を終えた後、私は、嘗ての父の教え子の仲介で、クリスティーズの「研修社員」と為った。この人は当時クリスティーズ・ニューヨークの日本・韓国美術部門の部長（後の私のポジション）を務めていた英国人Sで、私は先ず彼の母国でもあるイギリス・ロンドンで一年間、続いて再びニューヨークに戻り、Sの部署でインターンとして一年間働いた。予想以上の言葉の壁や、未知の領域での仕事に悪戦苦闘したが、少しずつオークション・ハウスに馴染んで行き、遂に正規社員と為ってクリスティーズのジャパン・オフィスに送られた。

当時の日本法人クリスティーズジャパンの社長Hさんにも心底お世話に為り、そして学ばせて頂いた。当時、一九九〇年代後半の日本は、バブル経済が崩壊した後の時期。私の主な仕事は、バブル期に購入した絵画を持ちきれなく為った個人宅や一般企業の社屋、また美術品を担保に取っていたり、不良債権化させて仕舞った金融機関の倉庫に印象派・近代絵画のスペシャリストを伴って赴き、査定をする事だった。そしてその査定結果を元に、今度は出品交渉を行うのだ。そして、そんな営業職と同時に、日本絵画の「アシスタント・スペシャリスト」の肩書きが私に付けられ、日本絵画をオークションに出す為に、少しずつ査定し始めたのもこの頃だ。

そうして営業部長や副社長を務めたりしたが、或る日、メンター（指導者）Sの後任でニューヨークの「日本・韓国美術部」部長をしていた人が急に辞める事に為った。そして会社は、私にその後任を探す様依頼をして来たのだが、この人選は困難を極め、候補者が本当に見つからなかったので、意を決して本社人事に申し出た……。

クリスティーズ・ニューヨーク
©Christie's Images Limited 2019

「あの、私じゃ駄目ですか？」

会社の最初の反応はNO。が、粘り強く交渉を続けた。探しても他の候補者が見つからないのだから仕方無い。交渉の結果、「私が相応しい」と云うよりは、「他に人が見つからないので」と云う理由で、私はまたもニューヨークへと旅立った。此処でスペシャリストとして勤務した後、二〇一八年、古巣のクリスティーズジャパンの代表と為って今に至る。当に人生とは、予期出来ない「ロード・ムーヴィー」その物である。

第三章

美術品を巡る世にも不思議な物語

真贋を巡るドラマ

第一章「鑑定――『人を見る眼は、モノを観る眼』」の項でも少し話したが、美術品の取引を巡っては、真贋問題が付きまとう。そして、特にスペシャリストとしては有っては為らない事だが、その判断を誤る事もごく稀に起こり得る。

美術品の売買に於ける真贋判断ミスには、実は二パターンが有る。ひとつは、贋作を真作として売って仕舞う場合。買い手に取っても、我々仲介業者に取っても最も避けたい事態だ（前述したが、クリスティーズでは万一こうした事が起きた場合、一定の条件下で代金を返還する制度を敷いている）。

一方でこの逆、謂わば「本物を贋作だと思って売って仕舞う」場合もある。例えば、非常に綺麗な浮世絵版画が出てきて、その状態の良さ故に「明治時代の工芸品（コピー）であろう」と判断したとする。当然、オークションではそれに見合ったエスティメイトを付けるだろう。ところがいざ競売に出すと、約一〇倍の値で落札された。要は、プロの買い手が見た際には江戸時代のオリジナルだと判断された訳である。ある意味、誰も損はしなかったと云えるかも知れない。しかし、美術品の取引は矢張り信用第一。たとえ一度の間違いでも「あの人はそう云う事が有る」と評価され得る厳しい世界だ。斯く云う私にも、二五年以上この世界で働き続けた中で、本当にごく僅《わず》かだが痛恨の判断ミスは有る。二度と繰り返すまい、と思う。

さて、古美術の贋作に関しては、特に江戸末から明治時代に多かった。より近い時代だと、有名な物に「春峯庵《しゅんぽうあん》事件」が有る。一九三四（昭和九）年に起きた、肉筆浮世絵の大規模な偽造事件だ。この年、東京美術倶楽部では「春峯庵」なる旧家の所蔵品との触れ込みで、写楽、歌麿等の肉筆浮世絵の入札会が開かれた。「世界の大発見」との新聞報道も有り注目されたが、やがて何と全て贋作と発覚したのである。最終的に、これを持ち込んだ画商や贋作を描いた絵師等の集団が詐欺罪で摘発された。

また「永仁《えいにん》の壺事件」をご存知の読者も居るだろう。一九五九（昭和三四）年に、「永仁二年」（一二九四年）の銘を持つ瓶子《へいし》（壺の一種）が鎌倉期の古瀬戸の傑作として国の重要文化財に指定された。だがその直後から贋作疑惑が持ち上がり、やがて陶芸家の加藤唐九郎《とうくろう》がこの壺は自分が一九三七年頃に作ったと告白。真相は諸説有れど、当時の文化財保護委員会が行ったX線蛍光分析等の結果、同作は鎌倉時代のモノでは無いと結論付けられた。斯くしてこの壺は一度与えられた重要文化財の指定を解除されたのである。これは行政、学界、美術界を巻き込んだ大贋作事件と云える。

こうした贋作騒動は、実はどの国でも何かしら起きている。有名なのは、オランダの「天才的」贋作画家と云われたハン・ファン・メーヘレン。彼は一九四五年に、フェルメール作とされていた絵画をナチス・ドイツの高官に売った罪で逮捕・起訴された。当初、オランダ当局は文化財の略奪者として（つまりフェルメールの真作を売り渡した罪人として）長期の懲役刑を求めたが、メーヘレンは自分が売却した絵画群は自ら手がけた贋作だと告白。法廷で実際にフェルメール風の絵を描いてもみせたと云う。彼の贋作作りはその模倣ぶりに加え、当時の真贋判定を欺く為に画材選びから仕上げ迄徹底していた。X線写真等の最新鑑定の結果、彼の主張通り一連の絵画は贋作だと証明される。

結果、メーヘレンは「売国奴」から一転、「ナチス・ドイツを騙した男」として英雄視さえされるように為った。結局、詐欺罪で禁固刑の判決を受けたが、まもなく心臓発作に倒れて生涯を閉じた。因みに、逮捕前にフェルメール作品と称して描いた《エマオの食事》は当時の研究家に真作と認められ、ロッテルダムのボイマンス美術館に購入された（今もメーヘレン作品として展示）。彼の劇的な人生は、映画『ナチスの愛したフェルメール』（二〇一六年）でも描かれている。

進行形の現代美術の世界も、贋作問題とは無縁では無い。人気作家の草間彌生や奈良美智《よしとも》の偽作品がたびたび出回り、二〇一八年に中国で開催された村上隆と草間彌生の二人展では、展示された草間作品は全て贋作だったと発覚。現在は抗議を受けて中止されているが、作家本人がコメントを発表する事態と為った。また、実験的な作風で知られる書家の故・井上有一の贋作も出回っている。これらの多くはスペシャリストが目にすれば大概判断が付くものも多い。しかし、例えば版画等は実物を見ただけでは見極めが難しいものも多いので、必然的に買う場所を選ぶ事が大切に為る。

私も骨董品等に就いて、オークション以外ではどういう所で買うべきか聞かれる時等、矢張り一流店を薦める。老舗《しにせ》の一流店と云うのは、仮に同一の作品でも、そうで無い店に比べて高目の価格設定をするかも知れない。だが、謂わばこれも信用を買うと云う事だし、こうした店は、一度其処で購入したものを後に手放す事に為った際も、比較的良心的な額で引き取ってくれたりするので、色々な意味で安心だと思う。所謂「掘り出しモノ」を買う楽しみも勿論有るのだが、一定以上のクオリティの物を買おうと思った際は、きちんとお金を貯《た》めて良い処で買う事をお勧めする。

「流転の極み」な屛風

さて、此処からは、日本美術スペシャリストたる私が出会った数々の「モノ」の中から、幾つか面白いエピソードを紹介してみようと思う。

「外国」、「美術品」と云った言葉と対に為っていると云っても過言でない言葉に、「流転」が有る。本書で何回も出てくる「来歴」と云う物自体が「流転」の証拠なのだが、それに「海外」が含まれると、如何にも「流失した」感が有ってドラマティックに聞こえたりする物だ。実際私が今から此処に書く屛風は、当に「流転の美術品」の名に相応しい作品である。

その屛風とは、長谷川等仁《とうにん》作二曲屛風三隻（二枚パネルの屛風が三枚でワンセット）、《雪景水禽《すいきん》図《ず》》。今は「屛風」と云っているが、嘗ては六面の襖絵だった作品で、然も「明石城」に在った事が判っている重要作品だ。それではこの「元襖」が辿った、流転の歴史を記してみよう。

明石城は、一六一八年に小笠原忠真《ただざね》によって築城され、この襖絵は本丸の豪華な藩主の三階建ての館に在り、元々は春夏秋冬の花鳥図が描かれた二四面が存在したと云われている。しかしこの館は一六三一年に焼失し、その時に運び出されて助かったのが、現存する一二面の「冬から春」に掛けての絵の部分で、幕末迄小笠原家の蔵屋敷で保管されていた。が、一八七三

（明治六）年に明石城は廃城と為り、一八八三（明治一六）年に書かれた屏風の裏書の由緒書によると、その一二面の襖絵は先ず「六曲一双屏風」（六枚パネルの屏風ワンペア）に仕立て直され、その後「一二幅対」（一二本セットの掛軸）に姿を変え、最後は家臣に拠って「二曲六隻」（二枚パネルの屏風が六枚）の体裁に為ったと云う。

そしてこの屏風が最初に売り出されたのは、一九五九（昭和三四）年で、東京の有名古美術商がその六隻の内の一隻を、当時東京に住んでいたフランス人外交官に、二隻をこれも東京に住んでいたアメリカ人コレクターに、そして残りの三隻をアメリカ人ディーラーを通してワシントンD.C.のフリーア美術館に売却、現在もこの三隻はフリーア所蔵と為っている。

その後、このフランス人とアメリカ人が買ったそれぞれの屏風は、オーナー達の帰国と共に移って行き分蔵されていたのだが、一九九六年のサザビーズ・ニューヨークの日本美術オークションに、何と別々のロットとして同一セールに登場し、その時にまた別の日本人コレクターが両ロット、計三隻の屏風を落札したのである。

私がこの等仁の屏風三隻を観たのはこの時が初めてだった。美しく歴史を感じる画風と共に、明石城に在った事が判っていると云う来歴に、当時は未だ東京勤務でニューヨーク出張中だった私は、何ともロマンティックな気持ちに為った物だ。が、運命とは誠に奇妙なもので、その六年後スペシャリストとしてニューヨーク勤務をしていた私の処に、とうとうこの三隻の屛風がやって来た。そしてこの屛風達はオークションに掛かり、二五万ドルから三〇万ドルのエスティメイトに対し、何と六二万六五〇〇ドルでアメリカの個人コレクターに落札されたのだった。

制作されてから約四〇〇年、その間に何度も離れたりくっ付いたりしながら、流転に流転を重ねたこの元明石城襖絵の現存する六隻一二面は、結局今は全てアメリカに在る……。これ位何度も「海」を超えると、成る程「流転」と云う言葉が似つかわしく思えるし、私自身その歴史に関わったと云う感慨の有る、稀なる作品でした。

「命懸け」の網干《あぼし》図屛風

スペシャリストと云うのは因果な職業で、何しろ美術品に眼が無い（何の分野でも、そうでなければやってられないのでは無いか）。どんなに美しい女性（或いはカッコ良い男性）とのデートの約束が有ろうとも、東に良い壺を持っている人が居ると聞けば東へ走り、西に堪《たま》らない味の仏像を持っている業者が居ると聞けば、西へと旅立つ（多分）。それがスペシャリストの業《ごう》なので、良い美術品と出会える場所には喜び勇んで飛んで行って仕舞うのだが、その「在る場所」が

「安全な」場所とは実は限らない……と云う事で、この話は少し長くなるので悪しからず。

もう二〇年近く前、ニューヨークに渡って直ぐの頃の日本出張中の或る日、東京オフィスの女性スタッフから、「山口さん、明日の午後屏風を査定して欲しいと云うお客さんから連絡が有ったんですが、行けますか？」との電話が有り、予定が空いていた私が彼女に行き先を聞くと、都内某所だと云う。「勿論ＯＫです！」と気前良く答えたのが、その時はそれが恐ろしい「出会い」の発端だったとは、知る由も無かったのである。

翌日、メモした住所を手掛かりに某所へ赴くと、私は後悔し始めた。何故なら、私の目の前にはスモーク・ガラスで全体を覆ったビルが建っていて、私の行き先はその最上階だったからだ。住所で気付くべきだったのだが、後の祭り……。これはどう見ても「別世界」の方々のビルではないか？　私はエレベーターに乗って最上階で降り「●●経済研究所」と書かれた札の付いたドアの前で覚悟を決めて深呼吸をすると、ドアベルを押した。

ドアが半分開き、鋭い剃《そ》り込みの入った髪型の男が顔を出すと、「どちらさんで？」と私に聞く。「あの、クリスティーズの山口と云います。屏風の査定にお邪魔しました」と云うと、男は「お待ちしておりやした」と云って私を中に招き入れた。その「研究所」の中の「所長室」に入ると、其処は如何にも、な造りで鎧《よろい》が一領飾られ、床には虎皮の敷物が敷かれ、飾り棚の上の刀掛けには大小の刀、そして大きな机の後ろには額装された「仁義」の書。もう映画で観たまんまの、「所長」為らぬ「会長」室なのであった。そして部屋に通されて暫《しばら》くすると、墨書で書かれた「所長」の肩書きの名刺を持ったパンチ・パーマの中年男性が現れ、私に「先生、では早速観て貰えますかね？」と告げ、入り口で立っていた若い衆には「おい、お前ら例のモノ早く用意しろ！」と命令した。

その時迄の人生に於いて「先生」等と呼ばれた事の無かった私はギョッとして、「世の中で〝先生〟と呼ばれる人とは、一体どんな職業の人だろう……大学や学校の先生、医者、弁護士、政治家、お茶やお花の先生か？」等と見当違いな事を考えながら、早速若い衆の運んできた六曲一双の屏風を開いてみた。

「網干図だ」……。私の見立てではこの屏風絵の時代は一七世紀頃、狩野派らしき手によるモノに見え、中々宜しい。「所長」にその様に告げると、「所長」は「おいお前ら、ちゃんと先生の云う事をメモしとくんだぞ！　いいな！」と念を押した。そして此方を見ると「で先生、大体お幾ら位なモンですかね？」と聞くので、正直者な私は「うーん、一〇〇〇万円出る位ですかね？」と告げたのだが、その瞬間、所長の顔が曇ったのを私は見逃さなかった。

「一〇〇〇万か。こっちは貸した五〇〇〇万の金の〝カタ〟に、この屏風取って来たんですけどねぇ。先生、何とか為りませんかねぇ？」

此処で「何とも為りません」と云ったら、明日の朝、私の体は東京湾に沈んでいるかも知れない。そんな恐怖が私を襲ったが、こう云う場合相手に負けて値を上げて仕舞うと、後々より厄介に為るので「所長、残念ですが、五〇〇〇万には到底為りません。もう少し〝カタ〟を取っておくべきでしたね」と、変なコメントをしたら、所長の顔は緩み、「じゃあ。もう少し観て貰いやしょう」と私を別室に連れて行った。そして、其処には棟方志功《むなかたしこう》の版画や上村松園《しょうえん》の掛軸、焼物等が所狭しと並んでいて、幾つかを観ると皆本物らしく、「カタ」に付けた値段は兎《と》も角「眼」は確りしている様で、その事を所長に告げると彼は凄く喜んでいた。

結局何ひとつ値段が折り合わず（念の為、当社は「反社会勢力」とは決してお付き合い致しませんので、悪しからず）、私は（幸いにも）手ぶらで帰る事に為ったのだが、帰り際所長は若い衆に「おい、先生を下迄お見送りしろ！」と命令し、私は角刈りの若い衆に挟まれて狭いエレベーターに乗り、無事一階に着くと若い衆が拾ってくれたタクシーに乗り込んだ。

結局私は、この仕事で何ひとつ「モノ」を得なかったが、人生で初めて「先生」と呼ばれた事と、タクシーに乗り込んで後ろを振り返った時、若い衆が「有難う御座いました！」と云いながらしていた深いお辞儀、そして無事にタクシーに乗れただけで十分だった仕事でした。

ビジネスシートに鎮座する壺

私の専門は日本美術だが、部門は「日本・韓国美術部門」だったので韓国の陶磁器や絵画を観る事も非常に多いし、当然韓国美術のスペシャリスト程では無いが個人的に大好きな事もあって、それなりの知識も持っていると思う。

さてその韓国の焼物に関して、忘れられない思い出が有る。それは韓国経済が強く、韓国美術マーケットも陶磁器一点に何億円も使う程の好景気だった、九〇年代中頃の話だ。

未だ東京勤務だった頃、当時の日本・韓国美術部門長だった私のメンターSは、当時の韓国好景気を利用して、韓国ソウルの新羅《シーラ》ホテルに於いて韓国美術品の下見会を開催しており、私もよく手伝いに行っていた。或る時、その下見会に素晴らしい《李朝白磁染付龍文大壺》が出展され、訪れた当時クリスティーズの大顧客だった韓国在住のC氏は、その壺を大いに気に入り是非買いたいと云う事に為った。その壺は「五爪の龍」が本格的な絵筋で描かれ、大きさも高さ五二・五センチと史上最大級、そして染付の発色も文句の無い逸品だった。

そしてその数週間後、私はニューヨークのオークションを手伝いに行き、其処で開かれたオークション当日、C氏は見事その壺を一六六万ドルで落札したのだが、問題は落札後に、C氏がSにリクエストした「或る事」であった。

その「或る事」とは、C氏が買った大壺を、何と「ハンドキャリー」でニューヨークからソウル迄運んで欲しい、と云う事だった。それはC氏が小柄だった事と、それでも一刻も早く持ち帰りたいからだったが、「ハンドキャリー」と云っても、陶磁器は壊れ易いので、トランクの様に預ける事は出来ない。ではどうするのだろう?と首を傾《かし》げていたら、Sが私を呼んだ。

「カツラ、この壺をソウル迄運んで欲しい」

「えっ! ……だから、どうやって?」と聞くと、

「心配するな、君をビジネスクラスに乗せてやる。但し、この壺のお供だ。壺の隣の席に君が座って、ソウル迄運ぶんだ」

「はぁ? 壺の隣に座る?」……何てこった。こりゃ大変だ! 早速私達は内側にクッションをくっ付けた特製風呂敷を作り、それで大壺を包んで持ってみたが、何しろ重い。こんな大きくて重く、然も一六六万ドルもする壺を手持ちでソウル迄行くなんて、無理に決まってる!

が、C氏とSの意思は固く、Sに至っては「気をつけろよ。ソウルに着く迄に、もしチップ(欠け)のひとつでも作ったら、君は一生クリスティーズ・ニューヨークのトイレ掃除だからな、ハッハッハッ!」等と笑う。未だ新人に毛の生えた様な立場だった私は、青ざめた。

そして出発当日の夜（当時の大韓航空便は、夜中の出発だった）、Sが用意した巨大なリムジンに厳重にパッキングされた壺を抱えて乗り込み、空港に着くとセキュリティでは尋問されたりして（そりゃ、そうだ）、冷や冷やの体でやっと飛行機に乗り込むと、機内には知った顔の韓国人ディーラーが勢揃いしていて、大荷物を持つ私を怪訝《けげん》な目で見るので、此処でもまた冷や冷や。汗だくに為って漸く生まれて初めてのビジネスクラスの席に座り、先ずは「お壺様」を窓側に座らせてシートベルトを確りと掛け、そして持って来た紐《ひも》で「お壺様」をがんじがらめに縛る。その最中にキャビンアテンダントがやって来て、私が汗だくで壺と格闘する様子を見ると、もうこれ以上無い位の不信感一杯の目付きで「お客様、これは一体何ですか？」と聞いてきた。「壺です」と答えたら吃驚して文句を云いそうな雰囲気だったが、「お壺様」用のビジネスクラス・チケットを見せると、ニッコリ微笑んで去って行った。

そして私は、超高額な壺を運んでいる緊張の余り、折角生まれて初めて乗った「ストレッチリムジン」や「ビジネスクラス」の感動も一切感じられない儘飛び立ったのだが、飛行中はずっと隣に鎮座まします「お壺様」に右手を置き、当然一睡も出来ない（心配でトイレにも行けない！）。

もうひとつの悪夢は、この飛行機が何と「アンカレッジ経由」だった事だ！　今ではもう考えられないが、当時ニューヨーク―ソウル便は未だアンカレッジで一度降り、給油をして再びソウルへと向かったのだが、問題は、この給油時に全ての乗客が一旦機外に出ねば為らない事だった。あれだけ厳重に縛った紐を解き、シートベルトを外し、深夜疲れた体であの巨大で重い壺を抱えて外に出る。そして周りの人達からは、相変わらず怪訝な目で見られながら、給油が終わると再び汗だくに為って壺を運び、シートベルトを掛け、紐でがんじがらめに縛る……もう悪夢としか云い様が無いではないか！

そんな「お壺様」とのフライトも、一睡もしない儘何とか終わりに近づき、後一時間程でソウル到着と云う頃、機長から「ソウル金浦《キンポ》空港が濃霧の為着陸出来ないので、我々は済州島《チェジュ》に向かう」と云う、信じられないアナウンスが有ったのだ。もうそれを聞いて失神しそうに為ったが、私に手立て等有る訳が無い。そして飛行機は済州島に着陸したのだが、事態は一向に改善せず、私の乗った飛行機は滑走路に居座った儘、それから何と三時間も動かなかったのだ。

あの頃は若かったとは云え、緊張と疲労でもう心身共に疲れ切っていた私は、頭が変に為りそうだったが、やっと飛行機が飛んで金浦空港に無事着陸し、重い「お壺様」を税関迄運び終え、Cさんの「一六六万ドルのスマイル」で一杯の顔を見た時は床にへたり込んで仕舞った。モノと旅するのも楽じゃありません。

「モノ」が「モノ」を呼んだ、室町絵画

ニューヨークに来て数年経った或る日の事。私は他分野の同僚スペシャリスト達五人と共に、ニューヨーク某所に在るかなりのお金持ちの顧客のアパートメントに査定に行った。其処には物凄い金額であろうジョルジュ・ブラックのキュビズム作品を始め、レンブラントの版画やヨーロッパ家具、中国陶磁器等が飾られていたが、日本美術品はたったの二点だけ。花鳥を彩色で描いた双幅（掛軸一対）の片方らしい掛軸が、アクリル額装されて吊《つ》るされる形で飾られ、双幅のもう一本の方は、幸いにもクロゼットの中で古い箱に入って見つかった。

その作品の印章を見ると「藝愛《げいあい》」と読め、箱の方の箱書を見ると、此方には「小栗宗栗《そうりつ》筆」と有る。私は、「ウーム、藝愛か……」と呟《つぶや》いた。何故なら「藝愛」は室町絵画に於ける非常に重要な絵師と云う事に為っているが、作品数も資料も非常に少なく、未だにその詳細が判っていない。その上箱に有る「小栗宗栗」と云う絵師が実は藝愛だった、と云う説も長らく信じられているからで、中々良い絵ではあるが、正直この絵の作者が「藝愛」であるとは、到底信じられなかった。

私は二本の掛軸とその印章、箱の写真を撮り、サイズと素材をメモして会社に戻ると早速こ

の作品を調べ始めた。そして、京都国立博物館が出している研究紀要の或る号に、京博のY先生による「藝愛」に関する研究論文を発見し、読み始めたのだが、或るページで私の手がふと止まった……其処に掲載されていたモノクロ図版に、何処か見覚えが有ったからだが、その図版リストを見ると「川崎男爵家旧蔵」としかない。もう一度図版をよく見てみると、この間見た「藝愛」にそっくりではないか！　撮って来た写真を取り出し、比べてみる。ウーム、この作品に違いない……何てこった！　こりゃ本物の藝愛なのではないか？　その内に作品が会社に送られ、研究・検分を進める内にこの作品が「行方不明」の藝愛であった事が確実と為り、その後オークションに掛かったこの作品は、何とエスティメイトの「五倍」で売れたのであった。

アメリカ富豪の膨大な美術品コレクションの中に「たった二点」在った日本美術品が、行方不明だった、然も室町時代の謎の絵師による作品だったと云う奇跡的な「モノとの出会い」だった訳だが、実は話は此処で終わらない。

その二年後の事である。ラッキーにも非常にクオリティの高い個人コレクションを見つけた私は、その類い稀な作品群を検分している内に、蓮と鷺《さぎ》を描いた墨画の双幅を見つけた。そしてその落款を見た私は、眼を疑った……何と「藝愛」ではないか！　唯でさえ作品数が極めて少なく、重要極まりない藝愛の作品にこんな短期間で二作品も出会えるなんて、私には「藝愛」の神様が付いていたとしか思えない。そして、この作品も調べ始めたら昔の重要な史料が出てきたりして、オークションに掛けた末、今度はエスティメイトの約三・六倍の価格と為って、無事売れて行った。「類は友を呼ぶ」と云うが、「モノがモノを呼ぶ」事も有るのである。

「祟《たた》りじゃ！」な仏像

宝石には、よく「呪いのダイヤ」とか云われるモノが有ったりして、それは身に付けるモノであるが故に、持ち主の情念と云うべき物が作品に纏《まと》わり付き、何か事故等が起きた後、歴史を経るに連れ、その事故が「呪い」として伝説化するのだろうと思う。

そしてそれは美術品にも偶に云われる事で、特に古い時代の刀や甲冑、着物等には一寸注意が必要なモノが有る、とよく聞くが、私はその点そう云った事にはかなり強い方で、それは第二章に記した、母方の神社の家系のせいかも知れない。

なので、これから書く話は私に起こった事では無く、私の同僚に起こった事件である。或る年の日本出張中に、私は二メートルに為らんとする非常に大きな或る仏像の出品契約を取った。その仏像は鎌倉時代の作と思われ、寄木造（各ブロックを各々作り、後で組み立てる）の作品だった。

そしてその作品はニューヨークに運ばれ、オークション・カタログの為の写真撮影に入った。仏像はフォト・ステュディオに運ばれ、フォトグラファーと打合せを始めたのだが、高額な事と、怖い程の迫力の有る大きな作品である事から、通常のショットと共に特別ショットを撮る事に決めた。フォトグラファーXにその事を告げると、当時超多忙だった彼はその事を理由に当初反対したものの、結局折れ、嫌々ライトのセッティングを始めたのだった。仏様の正面に廻《まわ》った時にイライラしていたフォトグラファーが、汚い言葉（勿論英語）で「こんな●●●な仏像の撮影なんか、やってられっか！」と叫んでいるのを聞きながら、私はランチへと出掛けた。そしてランチから帰り、ほんのりと暗くなった誰も居ないステュディオで私が見たのは、すっくと立つ仏様の前の床に広がる「血溜《ちだ》まり」であった……。

目の前の超シュールな情景が信じられず、呆然《ぼうぜん》として立っていると、写真部の部長Rがやって来て、「カツラ、何処に行ってたんだ⁉　大変だったんだぞ！」と云うので、「何があったんですか？」と聞くと、「Xが怪我《けが》をして、救急車で病院に運ばれたんだ！」と云う。

さて、私の居ない間に起こった事件はこう云う事だ。私が出掛けた後、Xはセッティングを続けていたが、上からのライトを当てる為、シャフトを伸ばした儘ライトを移動させていたらしい。そして或る所でそのシャフトが仏像の「髻《もとどり》（髪を頭の上で束ねた部分）」にあたり、「寄木造」故、単に嵌《は》めこんであった「髻」が外れ、何とXの額を直撃したと云うのだ。

その結果、Xの額は割れ大流血と為り、一〇針以上縫う大怪我と為ったが、その「髻」の方は、Xの頭を直撃後に床へ落ちたにもかかわらず、一片の欠けもできず、血痕も付いていなかったのである……。幸いにもXは数日で仕事に復帰したが、それ以降この事故は社内中の噂《うわさ》と為り、その仏様の前を通る全てのアート・ハンドラー（作品を運んだり保管する業務のスタッフ）達は、一礼をして通る様に為った。

そしてこの仏像はオークションに掛かったが売れず、「これも祟りか？」等と思ったりもしたが、アフター・セール（オークションで作品が不落札だった時に、その直後にもう少し安い価格なら買いたい、とオファーする事）の申し込みが有った後売買が成立し、今はヨーロッパ某所に在る。

私は、骨董品には「持つ人」の思いが残ると云う可能性を否定はしないけれど、清い心で持てば何にも怖い事は無いと断言しよう。そうで無ければこの仕事、命が幾つ有っても足りません！

東日本大震災が起きたのは、私が日本出張からニューヨークへと戻った、たった五日後の事だった。偶々その帰りの機内で、クリント・イーストウッド監督の映画『ヒアアフター』（二〇一〇年）で、冒頭のスマトラの津波のシーンを固唾《かたず》を呑んで観ていた私は、映画のその後のメイン・テーマである「臨死体験」を思い出しながら、NBCの朝のニュースで繰り返し流れる、津波が東北を襲う映像を観たのだった。

その一二日後、私の担当する春の日本・韓国美術セールが開催されたのだが、この「ディザスター」直後のオークションは、私に或る悪夢を思い出させた……二〇〇一年の「9・11」である。そしてこの話も長く為りそうなので、覚悟して下さい。

さて、「9・11」が発生したあの日のあの時間、私は日本出張を終え、成田から当にニューヨークへ向かうANA一〇便に乗り、JFK空港に着陸するたった一時間一寸前の、シカゴ上空に居た。そして機長からの「詳細は未だ判らないが、ニューヨーク市内で重大なテロが起こり、JFK空港が閉鎖されたので、何処か着陸出来る他の空港を探す」とのアナウンスが流れ、客席はどよめいた。そしてあちこちでキャビンアテンダントが呼ばれ、対応している内に次のアナウンスが……。

「情報によると、旅客機一一機がハイジャックされ、二機がワールド・トレード・センターにぶつかった模様。全米非常事態宣言が出され、現在飛行中の飛行機全てに即時着陸命令が出たので、これからカナダに向かう」と云う。

何てこった！　進路を変えて更に一時間後位だろうか、再び機長のアナウンスが有り、今度は「カナダの空港は既に一杯なので、アメリカに引き返す」と云う。引き返すって、何処に？減っていく燃料と、降りる場所の無い無数の飛行機が飛ぶ大混乱の空の上を行く恐怖、そして本当に何処かに降りられるのか？と云う恐怖を余所《よそ》にＡＮＡ一〇便は飛び続け、漸くデトロイトに空いていた滑走路を見つけ、着陸した。

が、着陸は出来たものの、機内で数時間待たされた末の入国審査の後は、三〇〇人を超える乗客が何の理由も無く二手に分けられ、強制的にホテルらしき施設にバスで連行された。だが、大問題が有って、それはＡＮＡの乗務員達が全員、私が居た方では無いもうひとつのグループに入れられて仕舞った事。それが理由で、私達が連れて行かれた宿泊施設（確かコンヴェンション・センターだったと思う）では、英語の全く出来ない乗客がチェックイン出来ず、結局私ら英語の出来る有志数人が通訳を買って出て助けたのだが、ムカつくのは大概の日本人が「助けが来ると、急に図々《ずうずう》しく為った」事だ。

通訳をする前はホテル側の云いなりだったのに、私らが通訳を始めたら「全員同じ部屋じゃなきゃ嫌だって云え」「エクストラ・ベッドを入れる様に云え」だとか、通訳している此方が「この緊急時に、アンタ何云ってんだ?」とキレそうに為る要求ばかりをする。「通訳してくれて有難う、助かりました」なんてお礼を云ってくれた人は、ほんの僅かであった。そして、最後の最後に私らがチェックイン出来たのは、ホテル到着後六時間程経ってからで、日本の家族に電話が通じたのは、更にそれから数時間後だった。夕食の時間等はもう「お通夜」状態だったが、ブッシュ大統領が「戦争宣言」をした為に、何時日本に帰れるか判らない状態だったので、仕方が無いと思う。だがこの「お通夜な夕食」で、私は同じ丸テーブルに座った一〇人に、或る提案をした。

「皆さん、これから私達は此処に何日間も居なければ為らなくなるかも知れません。せめて自己紹介位しませんか?」

テーブルの皆は賛成して自己紹介を始め、出張でニューヨークに行く筈だったファンド・マネージャーや、ブロードウェイを観に行く予定のタカラジェンヌ達、孫娘へのお土産の米を担いだお婆《ばあ》ちゃん等が同志と為った。結局私は彼等とこのホテルで眠れない夜を二晩過ごした末、テロの三日後漸くニューヨーク行きのバスが出る事に為ると、お婆ちゃんに託《ことづか》ったお米を抱え、一二時間半掛けて、未だ焼けたこげ臭い匂いが強烈に漂うマンハッタンに戻ったのだった。

やっと帰り着いたニューヨークの空を見上げると、摩天楼の間から爆音を響かせて空を飛ぶ戦闘機が見えた。そしてマシンガンを背負った州兵が闊歩《かっぽ》する戒厳令下の様な街を歩き、会社に行ってみるとスタッフの姿は疎《まば》らだった。上司と会うと、その上司は何と、一週間後に控えた日本美術のオークションを含めた秋の「アジアン・ウィーク」を強行すると云うではないか！「アメリカはテロには屈しない」がその最大の理由だったのだが、当然の如くスタッフからの猛反対に遭い、オークションは一カ月後に延期されたのだった。

そして、これも覚えている方も居ると思うが、その後もクリスティーズが入っている「ロックフェラー・センター」に在るNBC放送等に「炭疽菌《たんそきん》」入り封筒が届き、それを開けた人が死んだりして、その時はロックフェラーに於ける全館放送で「如何なる封筒も開けない様に！」とのアナウンスが有ったりして、オークションどころの騒ぎでは無かったのだが、一回延期された以上 "Auction must go on" と云う事で、「9・11」のひと月後、セールは実施されたのだった。

前振りが凄く長く為って仕舞ったが、これが「9・11」の時の状況で、そして二〇一一年の三月に起きた「東日本大震災」では日本からのビッドが無いかも知れないと云う危惧は有ったが、アメリカには被害が無かった為、オークションの延期は無かった。だが私の気掛かりは当然そんな事ではなく、家族や友人達が今現在苦しみ、また起こるかも知れない地震・津波の被害に遭うかも知れない……でも私には何も出来ない、と云った「隔靴《かっか》掻痒《そうよう》」の思いで一杯だった。

そしてこの時のオークションの目玉が、狩野内膳《ないぜん》の工房作と思われる《南蛮屏風》六曲一双（六枚パネルの屏風一対）だった。今でも日本美術オークション史上、二番目の高額（四七八万六五〇〇ドル：当時約三億八七〇〇万円）で落札されたこの作品は、一六世紀後半に交易をしに日本へとやって来た初めての西洋人（ポルトガル人やスペイン人）達を描いた、当時の日本人に取っての謂わば「未知との遭遇」的作品である。そしてその広大な画面には、貿易船やキリスト教の伝道師、奴隷として連れてこられたアフリカの黒人、象や洋犬等の珍しい動物等が描かれ、現存する数からしても大人気だったらしいこれらの《南蛮屏風》は大量に作られ、或る物はヨーロッパに持ち帰られ、或る物は国内の武家や豪商の許に残された。

下見会を訪れた外国人達は、そんな「日本と西洋の出会い」をモティーフとした屏風を観ながら、口を揃えて日本美術と日本文化を称《たた》え、そして震災後の混乱で不自由な最中でも略奪も起きず、復興の為に黙々と協力して働く日本人への賞賛を私に告げ、時には涙を流しながら応援の言葉を口にしてくれた。そうした事もあってか、結果を先に云えば、アメリカ各地やヨーロッパ、ロシアや中東、中国等、世界中から満遍なくビッドが入った末、この屏風をハイライトとしたオークションは総額二〇億円を売り上げて、大成功裡《せいこうり》に終わったのだった。

このオークション終了後に、私は一体何人の顧客や同僚から肩を叩かれたり、握手を求められたりしたか判らない……。そして私はそんな時、不覚にも泣いて仕舞ったのだが、それは何故なら、あんな状態の母国日本で親族や友人が、いや日本全体が苦しんでいる中、日本の文化的な「顔」である日本美術品が、これだけ世界から求められている事が嬉しくて、有り難くて、そして誇らしかったからなのだった。因みにこの作品の売主は、その後売り上げの一部を震災復興の為に寄付をした。世界と売主に大感謝のセールだった。

「モノ」と云う物は、人を介さねば出会えないし、人を介する以上、其処には必ずドラマが有る。私の場合は仕事上の都合で書けない事も多いのだけれど、少しは楽しんで貰えただろうか!?

第四章

日本美術、その鑑賞の流儀

「日本美術」とは一体何か?

ではそろそろ、私の専門分野である「日本美術」の話に入ろう。さて先ず、私が「貴方に取って日本（の）美術とは何ですか?」と聞いたら、一体何を想像しますか? 恐らく焼物や漆器、刀や仏像等、千差万別の答えが返って来ると思う。それは一口に「日本美術」と云っても、今云った様に数多の素材・様式・用途・種類の美術品が含まれている事が日本美術の特性のひとつだからだが、もうひとつの大きな理由は、通常我々が「日本美術」と呼んでいる美術品の多くが、嘗ては生活に密着した「道具」と呼ばれる「日用品」だった事による。

掛軸や版画は純粋鑑賞用だが、例えば皿や茶碗、壺等の「陶磁器」や、硯箱《すずりばこ》や小簞笥《しょうだんす》、重箱等の「漆器」は日々普通に使われていた物だし、「屛風」は大広間のディヴァイダー（間仕切り）だ。また仏像・仏具は信仰に用いられ、刀や鎧は武士の実用品、能面は芸能舞台での道具であった。そして身近に有った「道具」の中に、日本人は「美」を求め続け、例えば素材で云えば木、紙、絹、ブロンズ、象牙、鉄、土等を使い、サイズで云えば屛風や襖絵、大仏と云った巨大なものから印籠や根付、刀の鍔《つば》と云った極めて小さなもの迄、また技法も例えば絵で云えばミニマルでモノクロームの水墨画も有れば、極彩色の琳派や浮世絵版画の様に極めて装飾的意匠を施す物も有ると云う様に、「美しい道具を用いる為」にあらゆる試みをして来たのだ。

この試みの長い歴史の結果が、日本美術を一口では語り辛い物にしている反面、バラエティが有ると云うのは良い事である。日本美術品を買う世界中の私の顧客も「絵画」のバイヤーは殆ど「漆器」を買わず、「根付」コレクターは「浮世絵」等を買わない事からしても、日本美術が如何に多岐に及び、それぞれ全く異なった「道具」として「日本美術」と云う一軒の家に有り続けたかが判るだろう……そしてこれこそが「日本美術」なのである。

世界は何故日本美術を評価するのか？

第二章の「『ニューヨークへ行きたいか？』」の項でも少し記した様に、父親とニューヨークで過ごした一年間によって、私の人生は「和」と「日本美術」の方向へ大きく舵を切った訳だが、当初の私の最大の疑問とは、こういう事だった。

「日本美術を所蔵するMET、ブルックリン、ボストン、シカゴ、ホノルル、更にはギメ（パリ）、ケルン東洋、ベルリン、大英等の世界の美術館・博物館が、何故こんなに大量の日本美術品を所蔵し、修復し、保存し、美術館に拠っては今でもお金を掛けて購入しているのか？」

特にアメリカの美術館で、父に連れられて倉庫の中迄入り込み、其処に重要文化財・国宝級のクオリティだったり、状態が非常に良く保存されていたりした大量の日本美術作品を観た時には、「第二次世界大戦では敵国で、然も原爆を二発も落として迄コテンパンにやっつけた、太平洋の片隅の島国の美術品なんかを何で？」と真剣に思ったものだ。

先ず日本美術品を「投資」と考える人は、世界広しといえども本当に少ないのだが、もしかしたら戦勝国特有の、占領下にある国の金銀財宝や美術品の略奪行為が有ったのか……？　それも否、戦前から日本美術品はアメリカの美術館に高額で買われていて、それは例えば一九二三年に東京美術倶楽部の業者だけのオークションに出品された、《吉備大臣入唐絵巻《きびだいじんにっとうえまき》》が良い例だ。二〇一二年に東京国立博物館で開催された「ボストン美術館　日本美術の至宝展」にも出品されていたから、観た人も多いのではないか。

現在日本に在れば、確実に重要文化財や国宝に為っているであろう、如何にも「アニメ」の源と云える様なこの諧謔味《かいぎゃくみ》に溢れる逸品絵巻は、前述の国内オークションで買った個人コレクターが転売しようとしたが、高過ぎて買い手が誰も見つからず、そんな状態で作品がウロウロしている内に、岡倉天心の後にボストン美術館の東洋部長と為った富田幸次郎によって、ボストンに買われて行って仕舞った。

それを後で知った国民や美術愛好家達は、富田を国賊の様に扱ったが、その取引自体は全く正当な物であった訳だから、仕事柄時折同じ様に云われる私としては、「そんなに大事なら、自分が買って残せば良かったじゃないか！」と強く弁護しておく。そして、この一件によって、「重要美術品等ノ保存ニ関スル法律」（一九三三年）が公布される事と為ったのは如何にも日本的で、謂わば後の項で述べる所の「海外流失」によって、初めて日本人の眼が開かれたとも云えるのである。

話が脇道に逸《そ》れたが、外国人や海外の美術館が日本美術を知り、その価値を見出し始めたのには、以前述べた一九世紀後半のジャポニスムや万国博覧会の影響が大きく、また二〇世紀に入ると交通手段の発達によって世界が段々と狭く為り、欧米の富豪達もアジアへ旅をし易くなった事もひとつの要因だろう。そしてこれらの要因プラス、日本美術品がそもそも世界の如何なる美術品と比較しても美しく、繊細でバラエティに富み、技巧に優れ、世界中のコレクターや美術館を魅了する程のクオリティを持っているからに他ならない。この事実こそが、「何故世界の有名美術館が、日本美術品を所蔵するのか？」の答えに為るのだと思う。

P・F・ドラッカーも日本美術の有名コレクターだった

日本美術品は、一六世紀から海を越えて世界に点在している。江戸時代に輸出された陶磁器やそのパッキングに使われたとも云われる浮世絵から始まり、開国し明治期に入ってからは、アール・ヌーヴォーの大流行と共にディーラーの林忠正等がパリで売った日本美術品、またアメリカやヨーロッパの裕福なコレクターが日本に立ち寄った際に買って帰った品々も有った。更に、矢張り幕末〜明治期に参加し始めた「万国博覧会」への出展後の販売活動や、明治政府主導の殖産興業としての工芸品の輸出、第二次世界大戦後の進駐軍関係者に拠る蒐集等、日本美術品の海外への渡航は幾つもの機会が有った。その美しさや精巧さ、時にミニマルで時にデコラティヴな表現力が外国人を魅了した結果、外国に多くの日本美術コレクターを誕生させると云う結果を生んだのである。

一九世紀だけを見てみても、画家なら、浮世絵版画の大コレクションを持っていたモネ、広重や英泉の浮世絵を油彩で模写したゴッホ、画壇小説『マネット・サロモン』『オクサイ』(北斎)を記したエドモン&ジュール・ド・ゴンクール兄弟等が有名だ(私は嘗て、このエドモンが持っていた歌麿の肉筆美人画を売った事が有る。絵の中に、自分のサインを入れて仕舞っていたが……)。

一九世紀と云えば、その頃日本に居たシーボルトがオランダに持ち帰った日本美術品は、現在オランダのライデン国立民俗学博物館とシーボルト・ハウスで観る事が出来る。

そして現代。オークション・ハウス・スペシャリストの仕事の中でも取り分け重要なのがクライアントとの付き合いなのだが、その中でも、個人コレクター程重要且つ面白い人達も居ない。と云う事で、此処では私が今お付き合いしている、或いはもう亡くなってはいるが、読者の皆さんにもお馴染みと思われる近現代の「著名外国人の日本美術コレクター」を、何人か紹介してみたい。

フランク・ロイド・ライト（一八六七〜一九五九）

旧帝国ホテル（東京）やグッゲンハイム美術館（ニューヨーク）の設計で有名な建築家ライトは、江戸期浮世絵版画の大コレクターであった。

現在ボストン美術館に保管される、世界最高品質の浮世絵版画コレクションである「スポルディング・コレクション」を蒐集したのはボストンの富豪、スポルディング兄弟だが、実はライトは帝国ホテルの仕事で日本に来ていた時、この兄弟の依頼によって浮世絵を買いアメリカに送っていた。その内自分でもコレクションを始めたのである。

ライト自身が好んだ仏像や桃山・江戸期の屛風を、「室内装飾の道具」とする手法も卓越していて、例えば屛風をフラットに開いて壁画の様に掛けて飾る手法等は、現代のミニマルな居住空間に応用しても十分に通用するアイディアだ。「日本美術と暮らす」と云うライフスタイルの一提案としても、非常に参考に為る。ライトの屛風や仏像のコレクションは、現在アリゾナ州スコッツディールのフランク・ロイド・ライト財団に、そして浮世絵版画の多くはチェゼン美術館に所蔵されている。

P・F・ドラッカー（一九〇九〜二〇〇五）

『もし高校野球の女子マネージャーがドラッカーの「マネジメント」を読んだら』等で日本でも非常に有名な経営学者、ドラッカー博士は日本美術の大コレクターでもあった。集めていたのは、室町時代から江戸時代の水墨画を中心とする日本絵画（主に掛軸）で、数々の重要な作品を含んでいる。博士亡き後はドリス夫人がカリフォルニア州でコレクションを引き継ぎ、彼女の没後はコレクションの全一九七点を或る日本企業が取得し、千葉市美術館に寄託している。

このドラッカー・コレクションは、日本では八〇年代に東京の根津美術館や大阪市立美術館等で公開された事が有り、二〇一五年には千葉市美術館で展覧会が実現した。日本の高度成長期の経営者に取って、或る意味「神」的な存在だった人物の眼が集めた、日本絵画の粋と云えるコレクションだ。

スティーブ・ジョブズ（一九五五〜二〇一一）

有名な「アップル」の共同設立者が、曹洞宗《そうとうしゅう》の禅を通して日本美術と出会い、作品を買っていた事をご存知の方も居るに違いない。ジョブズ氏は室町時代の壺や、近代新版画の人気作家、川瀬巴水《はすい》の叙情的な木版画等を購入していた。

ラリー・エリソン（一九四四〜）

エリソン氏はビジネス・ソフトウェア会社「オラクル」の共同ファウンダー（創立者）で、世界でも指折りの大富豪であるが、意外に知られていないのが、日本通である事。日本美術に興味を持ったのは、シカゴ大学に在学中に、シカゴ美術館で美しい日本美術を観た事、また日本赴任時代に、京都の美しさに心を奪われたからだと云う。そして、自宅に飾った日本美術品を自分で入れ替えたりする程に、日本美術を愛して止《や》まないコレクターなのだ。

エリソン氏の日本美術コレクションは、古くは奈良・平安・鎌倉時代の仏像・神像から、桃山・江戸期の屏風、刀や甲冑、更には明治の工芸品迄と幅広い。自分自身が気に入った作品しか購入しない、と云うシンプル且つトラディショナルな選択基準は「真の『コレクター気質』」と云える。氏のコレクションは、二〇一三年にサンフランシスコ・アジア美術館で展示され、カタログも出版されている。

また、京都南禅寺近くの「何有荘《かいうそう》」は、七代小川治兵衛《じへえ》（植治《うえじ》）による庭園も素晴らしい広大な別荘だが（滝が庭内に三つも有る！）、この別荘もクリスティーズ（インターナショナル・リアル・エステイト）の仲介によって、数年前にエリソン氏が購入している。

しかし、ＩＴ企業のファウンダー達が日本美術を好むのは何故だろうか？　競争の激しいハードなデジタルビジネスの世界に居ると、ミニマルだったりデコラティヴだったりする日本美術、また時に厳しく時に優しく、時にユーモラスな日本美術に「癒し」を求めて仕舞うのかも知れない。

最後は外国人では無いが、「外国在住の日本人代表」として、世界的に高名な現代美術家で、私の重要顧客でも有る杉本博司氏に登場願おう。

杉本博司（一九四八〜）

杉本氏は生物も非生物も写っていない、唯水平線のみを撮影した超ミニマルな写真シリーズ《海景》の作者として知られ、近年は表参道の「オーク表参道」のエントランス等の店舗デザイン等の建築、ヨーロッパでも大好評だった「杉本文楽」の舞台演出や新作能の企画・監修、書き下ろし等、マルチに活躍されているニューヨーク在住のアーティストだ。因みにクリスティーズジャパンのオフィス内装も氏による。

その杉本氏のコレクションは膨大で、古代の化石や土偶から始まり、仏教美術や神道美術、原爆関連品や軍歌レコード等の第二次世界大戦に関わる「戦争物」、自身のルーツに関わる古写真、医学関係、江戸絵画や近代日本画、レンブラントやフランシス・ベーコン等の西洋美術迄、博覧強記的に多岐にわたる。が、全ては「人間の歴史」に関わる物で、氏のライフ・ワークである「人間史」の検証に於いても重要である事は間違いない。

未だ生活が十分に出来なかった頃、彼がニューヨークで古美術店を営んでいた事を知る人は意外に少ない。その「MINGEI」と云う名の店には、ブライス・マーデンやジャスパー・ジョーンズ等、当時最先端のアメリカ現代美術家や、日本通の富裕層が集まり、氏が日本から持ち込んだ日本美術品の数々は飛ぶ様に売れたと云う。そんな時代に鍛えた眼で杉本氏が集めた特に仏教・神道美術コレクションは、日に日にその重要性を増している。

杉本氏は二〇〇九年に「小田原文化財団」を設立し、二〇一七年には同財団によるアート複合施設「江之浦測候所」も公開が始まった。自身のコレクションを財団に寄贈して、後世への作品保存を図る他、現在氏が積極的にアプローチしている、能や文楽と云った日本古典芸能の発表の場としての役割を果たしており（光学硝子でできた、海へ迫《せ》り出す能舞台や、国宝「待庵《たいあん》」写しの茶室も有る）、今では来日外国人アート・ファンに取っての「聖地」と迄為っている。益々《ますます》アーティスト杉本博司から眼が離せなく為りそうだ！

他にも、日本好きのフランスでは、シラク元大統領は日本（&中国）の焼物が大好きだったし、嘗ての文化大臣アンドレ・マルローが持っていた「土偶」を私が売った事も有る。フランス以外ではアクション俳優のスティーヴン・セガールは嘗て日本の刀剣を扱うディーラーだったし、同じく俳優のニコラス・ケイジは北斎の版画の大ファン、現代美術家ではアルマンが生前甲冑と兜のコレクターだったし、ドナルド・ジャッドやダン・フレイヴィン等も、日本美術を所持していた。この様に、日本美術品は時と場所、立場を超えて世界の人を魅了し続けているのだ！

奇妙な縁で繋がる美術品の流転

さて、クリスティーズが日本美術品のオークションを外国で開催している以上、日本の作品が「海外流出」する事は必然である。その片棒を担いでいるのが私な訳だが、前述のボストン美術館の逸話に登場した富田幸次郎程偉くも何とも無い私ですら、「日本文化を流失させている張本人」等と叩かれたりもする。

が、よく考えてみて欲しい。これらの日本美術品は、決して「日本からのみ」出品されている訳では無い。確かに「美術品は景気の悪い所から、良い所へ流れる」し、残念ながら「日本人の日本美術離れ」が進んでいるのも事実なので、今もし日本美術オークションを実施すると、恐らく出品作の六割から七割は、日本からの出品に為るに違いない。

だが、残りの三割か四割は、アメリカを中心に世界各国から集まって来ている訳で、もしその様な作品が日本人に買われて「里帰り」すれば、それは嘗て流出した日本美術品を、私が「(再) 流入」させているとも云えるのではなかろうか！

また、クリスティーズが日本（東洋）美術品を海外に輸出する際には、必ず事前に「古美術品輸出鑑査証明書」を文化庁から交付して貰う様にしている。これは国宝・重要文化財に指定されている美術品は売買目的では輸出出来ない法律が有る為、文化庁が「当該美術品は〝指定品〟では無い」（……だから輸出して宜しい）と云うお墨付きを与える物。つまりこの様にして日本美術史上最も重要である「指定品」は輸出出来ない訳だから、目くじらを立てる程でも無かろう、と云うのが私の正直な意見だ。

ただ此処で云っておきたい事が有って、それは「指定品」の再調査を国は早急に行うべきだ、と云う事である。

学問は日々進歩していて、日本美術史・東洋美術史も例外では無い。それを考えると、作品のアトリビューションや制作年代の変更、重要性の高低の変更（指定ランクの変更）等は恥ずかしい事では無いのだから（むしろ間違いを正さない方が罪が重い）、指定の取り消しや変更は、例えば二〇年毎位にはやるべきではないだろうかと思う。

それに伴い、国公立の博物館・美術館による収蔵品の売買が出来る様に、早急にシステムを再構築すべきである。コレクションを定期的に見直し、死蔵や重複収蔵している作品等を売却する事で、海外の館がそうしている様に、売り上げを作品の修復費に充てたり、その館に取ってより重要な作品を購入する費用の一部にしたり、また館の修繕費や改築費に充てたりする事が、何故出来ないのか？　市民や国民の血税や入場料で運営している以上、彼等に最高のクオリティの美術品を観せるのがその使命だと思う……。税金で買われた国公立美術館所蔵の美術品は、「国民・市民の共有財産」なのだから。

二〇一一年に東日本大震災が起きた後、私を含むニューヨークに住む美術関係者は、アートの世界に居る我々で何か出来ないかと模索・奔走した。そしてその時、私は某国立博物館の方に、

「有志の国公立の博物館・美術館から活用出来ずにいる作品を供出して〝チャリティー・オークション〟をクリスティーズで開催し、ウチは手数料は一切要らないから、その売上金を全て東北に寄付したらどうか？」

と云う提案をした。が、お察しの通り、その企画は実現しなかったのだが、外国で感じる「アートと生きる」感を日本の一般の人々に伝える、そして国公立の博物館・美術館が初めて「ディアクセション」を公的に行う最大の機会だったのではと、今でも非常に残念に感じているのである。

美術館が所蔵品を売る理由

美術館のディアクセションの話が出たので、実際に私が携わった例をひとつご紹介しておきたい。日本の私立美術館で最も多くの国宝・重要文化財を収蔵している藤田美術館のケースである。二〇一七年、同館はそのリニューアルを目的とし、ニューヨークのクリスティーズでコレクションの中から中国美術の名品三一点を出品した。私自身、最初にその作品群と対峙《たいじ》した時は「これは凄いモノが来たな」と感じた程の素晴らしいクオリティだったが、日本では、この様に有名な美術館が名前を出して収蔵品を売る事が非常に珍しい。この時は館の老朽化や通年開館と云った課題へ取り組む為の売却で、苦渋の決断でもあったと思う。だが同時に、受け継いで来たコレクションの一部を手放す際に、それを引き続き大切にしてくれる買い手に譲りたいと云う強い願いも有った。

そうした背景も有り、この時は売却の仲介企業は我々クリスティーズだけでなく、先ず複数の業者に声がかかるコンペティション的な動きが有った。例えば、企業広告等でもコンペがあり、複数の広告制作会社や代理店が、選りすぐりのプランを出して競い合う。これと少し似た様な過程が、名品、逸品が登場するオークションの前段階で行われる事が有る。私はこの仕事の前に広告会社にいた事も有り、この辺りのノウハウも割と判っているつもりだ。うちの社だったらこう云う売り方をします、例えばデータではこう為っていますとか、時には或る種の「サクセス・ストーリー」を作る等もして、最終的には我々と一緒にやる事が最善だと云う信頼を勝ち取る事を目指すのだ。

藤田美術館の場合もこれが行われた。或る意味、館の未来への希望を託す相手として最も相応しいパートナーを探す為の選抜でもあり、この時幸いにも我々クリスティーズを選んで頂いたのである。具体的にどの様な競合相手が居たかは此処で詳《つまび》らかにしないが、より一般的な話で云えば、約二六〇〇年間に渡るライヴァルと云っても過言ではないサザビーズとは各所で競い合う事が有るし、古美術であれば老舗の骨董美術業者と云う事もある。

こうした際にクリスティーズの特徴と云えるのは、先ず世界中にネットワークが有り、オークションを開催出来る会場が有ると云う事がひとつ。藤田美術館のケースでは、取り扱い作品が中国美術なので、香港等で開催すると云う選択肢も有ったが、私はニューヨークがいいと判断した。何故なら、世界のアート界を俯瞰《ふかん》した時、中国美術も含めてトップクラスのモノは、矢張りニューヨークに集まるからで、中国の有力コレクターも其処に注目している。だからニューヨークでの開催を提案したし、この判断は当たったと思う。戦略的な事を云えば、アートの世界のトップ市場であるニューヨークから自国の美術を「買い戻す」、そうした気合の入るコレクターも居るのではと云う考えが有った事も付け加えておこう。

もうひとつ、競合オークション・ハウス同士の比較で云えば、クリスティーズはカッコ良く云えば堅実派。質実剛健で、モノに対して非常に綿密に調査をし、より詳しいカタログを作る等した上で、コンサヴァティヴな査定を付けてオークションに臨む傾向が強い。これは安く売ろうと云う事では決して無く、確実な値付けをすると云う事だと私は捉えている(因みに、コンサヴァティヴな値段を付けた方が引き合いが強く為り、結果的に高く売れると云う経験値的統計も有ったりする)。

もうひとつは、売り手は矢張り何らかの事情が有って手放す事を決断しているので、売れないと云う結果が一番困るのではないか、と云う事をクリスティーズは何時も考えている。昔から「サザビーズは貴族に為りたいビジネスマンで、クリスティーズはビジネスマンに為りたい貴族」等と云われる背景には、そうしたアプローチの差も有るのだろう。売り手に寄り添うと云う気持ちは何方にも有ると思うが、その現れ方が違うと云う事かも知れない。

さて、結果はどうだったかと云うと、有り難い事に「如何なる東洋美術の一回のオークションに於ける、史上最高落札総額」を記録する結果を出し、現在、藤田美術館は、二〇二二年四月のリニューアルオープンに向けて準備を着実に進めている。また私はこの時のセールで、同館に関心を持つ海外の美術ファンが増える様な事も有ればと願った次第である。日本では美術館が作品を売る事にネガティヴなイメージを持たれる事も未だ多いが、美術館の未来の為、また美術品そのものの未来の為を思う時、必ずしも悪い事では無い、むしろ必要な事も有ると云う事への、理解がより進めばと思っている。

オークションに掛かった、「日本美術の名品」達

前述の通り、私は日本美術品の「流出」だけでは無く「流入」の双方に関わっている、と書いたので、此処では私が扱った幾つかの日本美術品を語りながら、その事を実証して行きたい。

①在るべき場所に里帰りした「襖絵」

何時も「流出させている」と責められる私としては、先ずは「里帰り」編から始めたい。

二〇一〇年九月、ニューヨークで開催された私の担当する日本・韓国美術オークションに於いて、嘗て京都の石庭で有名な龍安寺に在った《群仙図・琴棋《きんき》書画図襖》の計六面が、一一五年振りにその「本来の場所」である龍安寺によって買い戻された（この襖絵はその後、二〇一三年に東京国立博物館で開催された特別展「京都―洛中洛外図と障壁画の美」にも出展されたので、観た方も居るかも知れない)。それでは、この歴史的襖絵が「本来の場所」に戻る迄の旅を、これから辿ってみよう。

龍安寺は臨済宗《りんざいしゅう》妙心寺派の寺で、一四五〇年に室町幕府管領《かんれい》細川勝元《かつもと》が徳大寺家の山荘を譲り受け、その地に建立された。応仁の乱で一度焼けたが、一四八八年に再興、しかし一七九七年に再び火災に遭って方丈等を焼失する。其処からこの「襖絵」の長い旅は始まった。

火災で方丈を失った龍安寺は、西源院の方丈を移築した。この西源院は龍安寺の塔頭《たっちゅう》(本寺の境内にある小寺)で、信長の弟織田信包《のぶかね》が一六〇六年に建てた寺である。この方丈には狩野派の絵師達による襖絵が在り、これこそがこの項の主役である。

時代は変わり、明治政府が一八六八年に出した「神仏分離令」に拠って起きた廃仏毀釈《きしゃく》運動は、仏教寺院を経済的困窮に追い込んだが、龍安寺も例外では無かった。方丈移築から約一〇〇年後の一八九五年、龍安寺は遂に方丈に在った七一面の襖絵を売って仕舞う。売り先は、当時未だ経済的に余裕の有った東本願寺だったが、その後東本願寺も窮し、三井財閥の内の三井家五丁目家、三井高昶《たかあきら》の仲介によって、九州の炭鉱王、伊藤伝右衛門《でんえもん》に買われる事と為った。

伊藤に買われた龍安寺の襖絵は、その後一九三三年に大阪城天守閣で開催された展覧会で初めて世間の眼に触れた後、一九五一〜一九五二年頃には伊藤家を離れていた事が判っている。その後、元々在った七一面の多くは散逸し失われているが、幸いにも二七面が現存していて、二〇一七年時点の襖の収蔵先は、METに八面、シアトル美術館に四面、英国個人が九面、そして龍安寺の六面と為った。METの八面は元々フロリダのコレクターがハワイで買った物で、一九八九年にMETに寄贈、だが当時はその襖絵が龍安寺に在った物だとは判っておらず、修復の際に当時METの修復家だった大場武光氏が裏紙の内側から来歴に関する文書を発見し、元龍安寺の襖だと判ったと云うエピソードも面白い。

そして二〇一〇年に龍安寺に里帰りした襖絵六面は、伊藤家を出た後、九州の有名温泉ホテルの所蔵と為っていたが、実は一度、私が二〇〇〇年の三月のオークションに出品、その時は個人コレクターの許へと売れて行った。だが、最初に述べた様に二〇一〇年に再びオークションに出品され、「一一五年振り」に龍安寺に戻ったのであった!

このオークションの後、私は龍安寺を訪れて、お寺の方と共に、人生で二度自分の手を通った襖絵との再会を果たした。その時は流石に感慨無量で、それは「買い手を選べない」オークションと云う機会だったにもかかわらず、この襖絵が龍安寺に戻った事に感動したからだ。

そしてそれは、何処か美術品が「自分の意思」で本来の「在るべき場所」に戻った様な気がしたから、でもあったのだが、話は此処で終わらない……。前述した「英国個人所蔵九面」を私はずっと追跡していたのだが、或る時日本の個人コレクターがその英国人から直接購入し、所蔵している事を突き止め、今度は「プライヴェート・セール」によって、二〇一八年末にこの九面も、一二三年振りに龍安寺さんにお戻しする事が出来たのである！

モノとの「ご縁」とは、誠に不思議なモノだ。

②一〇九年間のアメリカ出張を終えた「香炉」

さて次も「里帰りモノ」だが、此方は長〜いアメリカ出張の末に帰国した「香炉」のお話。

その香炉とは、尾形乾山《けんざん》作の《銹絵獅子香炉《さびえしし》》と呼ばれる作品で、二〇一二年に開催された私担当のオークションに於いて、一九万四五〇〇ドルで落札された。この「獅子香炉」の事を説明しておくと、中国明時代の香炉の型を模して、蓋には獅子を置き、色は宋時代の磁州窯《じしゅうよう》を模した象嵌《ぞうがん》の白黒で、胴体周りには花卉《かき》文様を施してある。恐らくは光琳・乾山兄弟が活躍した一八世紀の京都で流行していた、文人趣味の数寄者からの注文品だったと思われるが、最も重要な事は、乾山作品には稀な「年記」が入っている事で、その年とは「正徳五年」（一七一五）……それから一五〇年以上経った明治時代には、池田男爵家の所蔵と為っていた。

そして明治三六（一九〇三）年、遂にこの香炉の「長期アメリカ出張」が始まる。この年、一八八五年に夫リーランドと共にスタンフォード大学を設立したアメリカ人大富豪ジェーン・スタンフォード夫人は二年間の外遊に出ていて、エジプト、インド、中国と旅をして来たジェーン夫人は、故国に帰る前に日本に立ち寄り、池田男爵からこの香炉を買い取ってアメリカに持ち帰ったのである。その後夫人が大学に併設した美術館にこの香炉は凡《およ》そ七〇年に渡って展示されていたのだ。

が、このスタンフォード大学美術館は、香炉に取っての「終《つい》の住処《すみか》」とは為らなかった。或る頃から美術館の財政状態が悪く為り、七〇年代に売りに出されたこの香炉はアメリカ個人コレクターの所有と為るが、そのコレクターも死去。後に香炉を相続した人がクリスティーズに持ち込んだのが、オークションに出た所以《ゆえん》だ。そして、私はこの香炉を日本での下見会に持って行ったので、香炉の「一時帰国」は為されたのだが、その後のオークションで日本人に落札された事によって、この香炉は「一〇九年間」の長～いアメリカ出張を終えたのであった。

さて、私がこの件でひとつ強く思ったのは、この香炉が七〇年間スタンフォード大学の美術館に在った時、この作品は謂わば「文化外交官」の役割を果たしていた訳で、これは「美術品の流失」の偉大なるメリットでは無いか、と云う事だった。特にハーバード、イェール、プリンストン等、アメリカの一流大学に多い「大学美術館」に在ると云う事の、教育的・文化交流的な意義は大きい。こう云う「流出」なら、誰も文句は無いですよね？

③再会した「チャイナドレスを着た女」

外国のオークションでは、日本の近代（明治以降）の絵画が出品される事は、非常に珍しい。一番大きな理由は海外に「マーケットが無い」からなのだが、クリスティーズでもバブル期やその末期には、偶々フランスに長い年月埋もれていた黒田清輝《せいき》の大名品《木かげ》：現在ウッドワン美術館蔵）をロンドンのセールで売却したり、私も佐伯祐三や藤田嗣治《つぐはる》等の洋画、加山又造や前田青邨《せいそん》等の日本画の名品を含んだ、「イトマン」旧蔵絵画の「コレクション・セール」を開催したりした事も有る。

が、此処で紹介する作品は、そう云った出自ではない……話は私がニューヨークに来る前、東京オフィス勤務時代の事だ。

或る日私は、私の旧知の人から紹介を受けたと云う未知の顧客から、「絵を急いで売りたいので、直ぐに来て査定をして欲しい」との連絡を受け取った。約束の日に向かった顧客の家は、駅から一寸歩いた所で、呼び鈴を押し暫くすると、夫人らしき方が顔を出し、私は家に導かれた。玄関を通り、応接間のソファに腰掛けると、何時もの様に周りを見渡す。暫くするとご主人が来られたが、査定の方法を説明すると、「では、宜しく」と何処かへ行って仕舞う。夫人が私を応接間から連れ出した先には、大量の「タトウ箱」（額装した絵を収納する、厚い段ボール箱）や掛軸の箱が並び、夫人は「どうぞ、この中から〝一点〟だけ選んで下さい」と私に告げた。「こんなに在るのに、たったの一点だけか」……少々気落ちした私は、気を取り直して作品を観始めたのだが、しかしそれからの数時間は私に取って、今でも忘れられない「眼福の時間」と為ったのである！

開ける箱、開ける箱が名品の連続で、眼を瞠《みは》る程の素晴らしい日本近代絵画のコレクション。謂わば宝の山であった。「ウーム、この中から一点だけを選ぶなんて、不可能では無いか？」と思いながら観続けていた時、一枚の作品に眼が止まった。その額装された作品は、遠くに見える西洋風の風景を背景に、チャイナドレスを着た美しい日本女性のプロファイル（横顔）を描いた物で、よく観るとパネル（板）に油彩で描いている。そして、この女性を「真横」から描いた構図には何処か見覚えが有り、「あぁ、ピエロ・デラ・フランチェスカとピサネロだ！」とイタリアン・オールドマスターの画家を思い出すと同時に、この作品は彼等へのオマージュ作品では無いかと即座に思った。だが、これは一体誰の作品だろう？との疑問は消えなかった。

そして絵の左下に眼を走らせると、「T. FDiSiMA」とサインが有る。「フディシマ？　藤島武二か？」。当時日本近代洋画に関して殆ど知識の無かった私には、正直全く訳の判らない絵とサインだったのだが、私のスペシャリストとしての「カン」は「これだ……。これを逃すな！」と告げていて、気が付くと夫人に「この作品を、是非出品して下さい！」と大声でお願いをしていた。

交渉の結果、この作品が出品される事と為り、作品をオフィスに運び、調査を始めた。そして調査を進めて行く内に、この作品のタイトルが《女の横顔》だと云う事、また藤島のイタリア留学後の作品だと云う事、一九四三年の「藤島武二遺作展」に出展されている事、そして一九六七年の「生誕百周年記念 藤島武二展」で展覧されて以降、行方不明に為っていた事等が判り、作品の重要性・希少性はドンドン高まって行ったのだが、問題はセールの時期であった。

日本近代絵画なので、通常なら日本美術のオークションに出すのが相応しい。が、その時その年の春の日本美術オークションは終わって仕舞っていて、がしかしオーナーは急いで売りたいと云っている。当時クリスティーズ東京オフィスの社長だったHさんに相談すると、Hさんは即座に「〝印象派・近代絵画〟のセールで売りましょう」と云う。

「えっ、印象派？」……この絵は確かに近代絵画ではあるが、如何に重要な作品とは云え日本人作家の作品で、然も絵はイタリアン・ルネッサンス風と来ている。大丈夫か？と思ったが、Hさんは当時ニューヨークの印象派部門のヘッドだったMに、さっさと連絡を取って仕舞っていた。

さて困ったのはこの私で、私が考えて付けたこの絵のエスティメイトは、四〇万〜五〇万ドル……と云う事は「イヴニング・セール」（高額な重要作品のみを売る、夜開催のオークション）への出品と為る。嘗て日本人近代画家で、エコール・ド・パリのメンバーとして認められていた藤田嗣治を除いて、クリスティーズの「印象派・近代絵画イヴニング・セール」に出たのは、前にも述べた黒田清輝の作品だけ。この藤島の作品は、史上二番目の作品と為る訳だが、Mは唯でさえギョロギョロした大きな目を見開いて、「カツラ、売れなかったら唯では済まないからな！」と脅して来る始末。が、賽《さい》は投げられたのだ！

そして私はニューヨークに向かい、一九九六年四月三〇日に開催されたそのオークションに立ち会い、この《女の横顔》は最終的にふたりのビッダーの一騎打ちと為った末、結局エスティメイトの上限を遥《はる》かに超えた、六八万四五〇〇ドルで落札されたのだった。

その後この作品は、最終的にポーラ美術館のコレクションと為って現在に至るが、或る時、東京に出張に来た際地下鉄に乗ったら、当時ブリヂストン美術館（現アーティゾン美術館）で開催されていた「描かれたチャイナドレス」の展覧会ポスターにこの《女の横顔》が使われているのを見て、京橋へと急ぎ、美しい「彼女」との久々の対面を果たしたのだった。懐かしかったのは云う迄も無いが、この絵に出会った頃の若かった自分を思い出して、妙に恥ずかしい気持ちにも為ったのが不思議だった。

過去に出会った美しい女性、もとい、美術品との再会は、何時も何処となく切ない物なのである。

④中国生まれ、日本育ち、アメリカ在住の「茶壺」

今迄何度となく書いて来たから、皆さんには「耳タコ」かも知れないが、改めて云おう……美術品に取って「来歴」はかなり重要である。そしてそれが「茶道具」の来歴と為ると尚更で、「利休所持」とか「雲州蔵帳」に載っているとか、関西風に云えば「喧《やかま》しい」モノである。

さて、外国のオークションに茶道具が出る事は、滅多に無い。時代も桃山と確り判って、然も来歴の有るモノと為ると、そもそも茶道の文化が発達していない外国ではその価格の高さのせいと云うよりも、基本的にマーケット自体が存在していないと云って良い。

だがそうは云っても、ニューヨークにもきちんとした「茶人」は居て、持っているタウンハウスの屋上に茶庭と茶室を作ったりするフランス人や、アパート内に茶室を作り、茶事に使う為のハイ・クオリティなコレクションを持つアメリカ人も居る。また私もメンバーに為っていた茶道裏千家は、長い間マンハッタンのアッパー・イーストサイド、嘗て現代美術家マーク・ロスコのステュディオだった場所に素晴らしい「茶の湯センター」を構え、アメリカでの茶道の普及に貢献しているし、何年か前に武者小路千家《むしやこうじせんけ》家元後嗣の千宗屋《そうおく》氏が文化交流使としてニューヨークに来られて以来、武者小路千家ニューヨーク支部「随縁《ずいえん》会」もその活動を盛んにしているので、ニューヨークに限って云えば、茶の湯文化への理解が全く無い訳では無いのだが、それは茶道具が「オークション」で売れるか、と云う事とは、また別問題なのである。

そんな状況の中、二〇〇九年、私は日本で茶道具の個人コレクションをゲットした。このコレクションの中には、益田鈍翁《どんのう》旧蔵の魚屋《ととや》茶碗や、楽家歴代の茶碗、利休作の茶杓、玉舟宗《ぎょくしゅうそう》播《ばん》の軸物、茶入や炉縁等約三〇点が含まれていたが、その中でも最も重要な作品は、何と云っても「大名物唐物茶壺《銘 千種《ちぐさ》》」であった。

この《千種》の出自は南宋~元時代（一三~一四世紀）の中国南部だが、桃山時代に堺を中心として茶の湯が流行すると、中国の焼物としては価値の無かったこの手の「呂宋壺《るそんつぼ》」の中で、「味」の有る物は茶人達によって茶壺として重用され、引き継がれていった。

そしてこの《千種》の重要性は、正しくその来歴に有るので、此処に記しておこう。

鳥居引拙《いんせつ》―重宗甫《じゅうそうほ》―誉田屋《こんだや》徳隣―有馬頼旨《よりむね》―有馬則維《のりふさ》―徳川綱吉《つなよし》（柳営御物《ごもつ》：徳川将軍家の名物茶道具）―表千家久田家―藤田伝三郎―藤田家―個人コレクション

そしてこの茶壺が「登場する」文書を挙げれば、『今井《いまい》宗久《そうきゅう》茶湯《ちゃのゆ》書抜《かきぬき》』『宗湛《そうたん》日記』『山上宗二記』『松屋会記』『徳川実紀』『柳営御道具寄帳』『寛政重修《ちょうしゅう》諸家譜』等、桃山時代から江戸期迄の文献が揃い、この茶壺が巷間《こうかん》に於いてかなり知られていた事が判る。

恐らくこの辺で読者の方々は、こんな疑問を強く感じたに違いない……。

「では何故こんなに重要な茶壺を、然も外国には茶道具のマーケットが無いにもかかわらず、ニューヨークのオークションに出品したのか？」

そして勿論私には、その問いに対して用意した、ふたつの答えが有る。先ず、この手の茶壺は、現代日本の茶の湯に於けるメインストリームである所の、「侘《わ》び茶」の小間には大き過ぎて使えないから。次に、確かにアメリカには一般的茶道具のマーケットは無いかも知れないが、日本美術を蒐集しているアメリカの如何なる有名美術館・博物館も、これ程来歴が確りとした茶道具を未だ持っていない、と云う事だ。

そして私は、特に二番目の理由に執着したのだが、それはこの《千種》が持つ、本体以上に重要な「来歴」や、利休の文や書付、裂《きれ》・紐等の「付属品」が、美術館や大学での展示を非常にエデュケーショナルな物とし、然も展示の幅を広げる可能性が大きいと思ったからで、個人コレクターも勿論だが、美術館からのビッドを取れるのでは無いかと踏んだからなのだ。来歴と云うのは信頼性にも繋がるのだが、従来、海外の人達に取って日本美術の来歴と云うのは比較的評価対象に為り難いきらいが有った。逆に云えばモノ重視、モノが良ければそれは最高だと云う考えは非常に合理的で良い面も有るが、少しずつこの来歴、すなわちモノの歴史に就いても考えられる様に為ってきたのである。

果たしてこの《千種》はセールに掛かり、一〇万〜一五万ドルのエスティメイトに対して、何と六六万二五〇〇ドルで落札。落札者はスミソニアン博物館群のひとつ、フリーア美術館であった。そして近年、同ギャラリーは購入以来の《千種》研究を一段落させ、《千種》だけをフィーチャーした立派なカタログと書籍（日本語訳も出ている）を制作し、展覧会を開催したのである。

六〇〇年前に中国で作られ、四五〇年も日本で育てられた茶壺は、今アメリカの国立美術館によって「永住権」を与えられた。

美術品の流転とは、本当にロマンティックだと思いませんか？

アメリカの美術館が所蔵する「日本美術の名品達」

此処迄で大分お判りの様に、外国、特にアメリカの日本美術への愛は深い。其処でその「愛の歴史」或いは「愛の結晶」とでも呼べそうな、在アメリカ美術館の珠玉の日本美術コレクションの中から、何点かの名品を挙げてみたい。

唯飽く迄も「私の趣味」での選択なので、「名品なら、もっと違う作品があるじゃないか！」と思われても仕方ないですから、悪しからず。それと、これも云う迄も無いが、例えばパワーズ、ギッター各氏等の在アメリカの個人コレクションにも、かなりの質・数共に日本美術の優品が含まれている……が、一般の方には中々観る機会が無いと思うので、此処では美術館所蔵作品のみ（その代わり、と云っては何だが、有名アメリカ人コレクターによる寄贈品を含む）に限定したので、それも悪しからず、です。

シアトル美術館蔵《烏《からす》図屏風》（紙本金地著色《ちゃくしょく》・六曲一双）

この江戸初期（一七世紀）と思われる、金箔地に黒一色の群烏を描いた屛風を初めて見た時の衝撃は大変な物だった。何しろ山や岩、樹木等の背景が全く無く、唯金と黒の二色、そしてこれ以上無いのではないか、と云う程計算されつくした構図は、もうカッコ良いの一言……この画面構成を考えた絵師は、恐るべき天才だと思う。

飛び交い、地に蠢《うごめ》く烏の様は、最早《もはや》烏個体個体の輪郭を潰して描かれ、或る種紋様化されたこのデザインは、屛風では醍醐《だいご》寺所蔵の《松檜《まつひのき》群鴉《ぐんあ》図屛風》（此方には「樹木」が有る）や、ニューヨーク・アジア・ソサエティのジョン・D・ロックフェラー三世コレクションに在る、野々村仁清《にんせい》作《色絵烏図茶壺》にも施されていて、此方は主に「白に黒」なのだが、矢張り「金に黒」の方がスタイリッシュだ。

そしてもうひとつ、この「烏図」らしきモノを或る映画の中で観て、再び吃驚したのだが、その映画とは『天河伝説殺人事件』（一九九一年、市川崑《こん》監督）である。この映画は名探偵物の推理ドラマだが、殺人事件が起こる理由がお能の家元の跡継ぎの問題で、その家元の邸宅の広間にある襖が、この「烏図」を模した物だったのである。これが映画のおどろおどろしい内容と中々旨くマッチしていて、「このセット担当者、知ってるなぁ」と思ったものだ。

装飾的でデザイン化された、如何にも外国人好みの作品だが、現代美術が好きな人にも、是非一度観て頂きたい作品だ。

MET蔵《金銅蔵王権現《ざおうごんげん》立像》

世界に数ある蔵王権現（日本の山岳仏教である修験道の本尊）像の中でも、京都個人蔵のモノと双璧を為す、またMETの日本美術コレクションの中でも、最も重要且つ素晴らしい金銅仏だ。平安中期（一一世紀）の作と思われるが、修験道に於ける蔵王信仰はこの頃始まったと考えられているので、その初期の作例と思われる事と、如何なる美術品もその発生「初期」に優品が多い様に、このお像もそれ程大きくないのにもかかわらず、実に強力な存在感を持つ傑作だと思う。

この作品はハリー・パッカードによってMETに寄贈されたものだが、このパッカードと云う人は、日本文学者のドナルド・キーン先生と同じ様に海軍日本語学校で学び、終戦後GHQの手伝いをしながら、そして時には日本古美術商としてディーリングをしながら、積極的に日本美術品の蒐集をしていた。その顚末はご本人が記された『日本美術蒐集記』（新潮社）に詳しいので此処には長く書かないが、METの日本美術コレクションのクオリティの高さは、この人の作品群に拠っていると云っても過言では無い。METで、いや在アメリカの如何なる日本美術の中でも私の大好きなもうひとつの作品、狩野山雪作《老梅図襖》も旧パッカード・コレクションであった。

「外国人なのに、全く以《もっ》て目利き（＋腕利き）も良い所だなぁ……」と、思わず溜息《ためいき》を漏らして仕舞う逸品です。

サンフランシスコ・アジア美術館蔵《四季山水図屛風》式部輝忠《てるただ》作（紙本墨画金彩・六曲一双）

私が西海岸に出張中に、室町時代に描かれたこの屛風を初めてこの眼で観た時、余りの迫力と緻密さ、そして「バロック」的とでも呼びたい程の「これでもか！」な筆致に驚愕《きょうがく》し、その晩の夢に出てきて魘《うな》された覚えがある、それ程に強烈な絵画だ。

元々瀟湘《しょうしょう》八景図（中国山水画の伝統的画題）の如き「中国山水」は、私に取って決して好きな画題では無いのだが、この作品だけはその異様とも云える執拗《しつよう》な「樹木」や「岩」の描写や、そしてこれも「魔」を感じる山々の描写迄、こう云っては何だが一寸「病んでる」感を覚える程の、迫力の有る描き込み描写が堪らない。

この屛風の作者、式部輝忠の生涯は詳しく判っていないが、恐らく天正年間位迄活動したと思われている。仲安真康《ちゅうあんしんこう》や祥啓《しょうけい》に学んだとされ、関東狩野派との交流から得た狩野元信《もとのぶ》風のガッチリとした画面構成と、非常に独特な画風が魅力である。

また、この屏風は「アヴェリー・ブランデージ・コレクション」の中の主要作品で（一九六〇年代に寄贈）、このブランデージと云う人は、アメリカ人で唯一オリンピックの「IOC会長」を務めたアメリカ・スポーツ界の大物だった。彼のコレクションは日本の根付から始まって、最終的には絵画・彫刻迄幅広く行き渡り、今でもサンフランシスコ・アジア美術館のコレクションの多くを占めており、その根幹と為っている。本当に色々な人が日本美術を好きに為る物だ！

そもそも室町期の屏風の数は少なく貴重なのだが、この式部の屏風は在アメリカの、室町時代の作品と云う以上に日本の屏風の白眉《はくび》と云えると思う。

ブルックリン美術館蔵《桜狩遊楽図屏風《さくらがりゆうらくずびょうぶ》》（紙本著色・四曲一隻）

桃山〜江戸初期の時代に、名前の判っていない絵師によって描かれたこの遊楽図は、「桜狩遊楽図」と呼ばれ、云ってみれば「花見」の宴会を描いている。そしてこの屏風の画面に登場する女達は、例えば国宝《彦根屏風》や、大好きなＭＯＡ美術館所蔵の《湯女図《ゆなず》》に通じる、独特な退廃的エロティシズムを持っていて、嘗て画家岸田劉生《りゅうせい》がこのタイプの絵画を「デロリ」と評した様に、私もこの「エロさ」に妙に惹かれるのである。

さて、この屏風が描かれたと思われる少し前、京の市井《しせい》では出雲《いずも》の阿国《おくに》（安土桃山時代の女性芸能者）が後の歌舞伎の元と為る舞台舞踊を始めたが、彼女のファッションは「男装に、首から十字架」と云った、当時からするとブッ飛んだモノで、そんな彼女の出で立ちは、当時の所謂「傾《かぶ》く者」＝「傾き者」と呼ばれていた者達に取って、ストリート・ファッションに於けるアイコンだったに違いない。

そんな「傾き」ファッションに身を固めた男女が登場する、この屏風中の女性達が持つ独特な「エロティシズム」は、勿論彼女らが「遊女」であろうから、と云う事も有るだろうが、それよりも何よりも、「時代」を映しているのだと思う。江戸初期と云う、未だ戦乱の時代の残り香が漂う束の間感の蔓延《はびこ》る「一瞬」に生きる若者達は、デカダン且つ享楽的に為りながらも、そう云った時代だからこそ、新しい何かを作り出そうとするパワーを、何処かで放出せねば為らない……そんなパワーを、この屏風の作者である「絵師」が描き出したのを垣《かい》間見《まみ》れる所が堪らない。

またこの屏風は、全米でも指折りのアート・建築・ファッション・デザインの学校である、

「プラット・インスティテュート」の創立者であるフレデリック・B・プラット氏によって一九四二年にブルックリン美術館に寄贈されたのだが、大概の古い屛風がそうである様に元々この屛風が作られた時は「ペア」（一双）で、その片割れは嘗て岸田劉生が所蔵、現在は日本の個人コレクターが所蔵し、重要美術品の指定を受けている。そしてそのもう片双には、ブルックリン本に描かれた、「逢引《あいびき》」する為に会いに向かっているであろう女を待ち受ける、ハンサムな若衆が描かれているのだ。

私は何度かこの「別居中」の二隻の屛風が同じ展覧会に出展され、元来の形で展覧されたのを観ているのだが、「人の恋路を邪魔する者は、犬に喰われて死んで仕舞え」と云う古人の警句を、僕は何時も尤《もつと》もだ！と思っているので、何時の日か、この二隻の屛風が再び「同居」出来る（元来の一双と為る）日が来るのを、夢見て止まないのである。

クリーヴランド美術館蔵《木造男女神像一対》

皆さんは全員「仏像」と云うモノはご存知だと思うが、「神像」を知っている人は、かなり少ないのでは無いだろうか？　……端的に云えば、仏教のお像が「仏像」で、神道のお像が「神像」なのだが、元は仏教もそうだった様に、神道も長い間「偶像崇拝」を禁止していた。だが仏教が仏像と共に日本に伝来し、その勢力が強く為るに連れ、神道も神様を偶像化し始める。そして仏教の様に「儀軌」（経典に書かれた、仏様を描いたり造像したりする時等の規則）の無い神道は、顔や造作の無い神様の代わりに、その神社の神官や村の長老の顔を模して造像したと思われている。なので、仏像も確かに素晴らしいが、神像の持つプリミティヴさと自由さに強く惹かれるのである。

さて、このクリーヴランド美術館所蔵の男女一対の神像も本当に美しい作風で、神像に有りがちな虫食いの痕も全く気に為らない程神々しく、観ていて本当に心がホッコリするお像である。そしてその理由は、何も私が神主の孫だからと云うだけで無く、この両像が作られた一一世紀と云う時代と、恐らくは元々在ったと思われる高名な神社の所為だろうと思っているのだ。

この両像が在ったと思われるのは、日本で最も古い神社のひとつと云われている、大分県にある「八幡《はちまん》さま」の総本宮宇佐神宮。だが、実はこの宇佐神宮に嘗て在ったと云われる神像は、このクリーヴランド美術館蔵のモノだけでは無く、日本では大和《やまと》文華館所蔵の女神像、そしてアメリカでは旧バーク・コレクション（現ＭＥＴ）に入っている男女神像の一対が、クリーヴランドの神像と作行き（出来栄え）も非常に近く、またお像の持つ雰囲気もそっくりな事から、ルーツが同じと推察されている。
　何とも優しく味の有る顔付きと姿に、思わず手を合わせたく為る「神様」なのである。

ミネアポリス美術館蔵《金《きん》小《こ》札《ざね》紺《こん》糸《し》褸《ろう》紅《べに》縅《おどし》二枚胴具足蟷螂《かまきり》立物《たてもの》》

　そもそも、日本の武具甲冑のマーケットは、アメリカよりヨーロッパの方が強かった。それは例えば、映画の中に登場する西洋の城や富豪の館に置かれる西洋甲冑や、スポーツとしてのフェンシングのポピュラーさに顕《あらわ》れている、と云えば理解されると思う。だが、此処一〇年間のアメリカでの特に「鎧」の人気は鰻登《うなぎのぼ》りで、これは口はばったいが、クリスティーズのオークションの所為《せい》も有る。
　事の発端は映画で、古くは『スター・ウォーズ』の重要登場人物「ダース・ベイダー」の衣装デザインに始まり、最近では『ラスト サムライ』や『キル・ビル』（何れも二〇〇三年）と云った刀、或いは甲冑を使用する主人公の映画がヒットした事が大きな切っ掛けだったのだが、刀は部屋で飾り辛い上にどうしても危険が伴うが、鎧や兜がアメリカの家でも非常に飾り映えがする、と云う事に気付いたからで、或る年から東京オフィスのI君とタッグを組んで、何領かの鎧や兜を毎回必ずオークションに出して行こう、と決めたのだった。そしてその効果は少しずつ現れて来たのだが、二〇〇九年にMETが〝ART OF THE SAMURAI〟と云う、クオリティも規模も前代未聞な武具甲冑の展覧会を開催したのを機に、私達もニューヨークで初めての〝ART OF THE SAMURAI〟セールを仕掛けたのだった。

そして、このセールには刀剣・甲冑以外にも、武将の消息（手紙）や、武士や合戦が描かれた絵画や漆工品も含まれていたのだが、その大メイン作品が現在ミネアポリス美術館の所蔵と為った鎧、《金小札紺糸褄紅縅二枚胴具足蟷螂立物》であったのだ！

さて、甲冑は日本美術工芸の粋、と云っても良い。それは甲冑には金工・染色・木彫・漆工等の日本の伝統工芸技術が惜しみ無く使われているからで、この甲冑もその何処を取っても何しろ細部迄クオリティが高く、状態も大名鎧の名に相応しい……が、それはその筈で、この鎧は嘗て紀州徳川家に所有されていた上に出光美術館旧蔵と云う、恐るべき伝来を持った鎧だったからだ。そしてそのルックスも、蟷螂の前立を持つ兜も豪華な、超ハンサム・ルッキング……私が扱った鎧の中でも、最高級のモノであった。

オークション時に付けたエスティメイトは、二五万〜三〇万ドル……そして落札金額は、今でも甲冑としてのオークション史上最高価格である、六〇万二五〇〇ドルを記録した。バイヤーは当然ミネアポリス美術館で、今は美術館の日本美術収蔵品全体のハイライトとして君臨している……。私も鼻が高い、世界最高品質と価格の甲冑だ。

ボストン美術館蔵《百物語　さらやし記》葛飾北斎作（中判錦絵）

ご存知ボストン美術館には、日本に在れば国宝級の《吉備大臣入唐絵巻》や《平治《へいじ》物語絵巻》、仏像群、そして素晴らしいクオリティの曾我蕭白《そがしょうはく》の絵画コレクション等、アーネスト・フェノロサやウィリアム・スタージス・ビゲローと云った有名コレクターが集めた、数多の素晴らしい日本美術品が収蔵されている。だが、ボストン美術館の重要なコレクションはフェノロサやビゲローによるモノだけでは無い……。世界ナンバー1のクオリティと状態を誇る、スポルディング兄弟の浮世絵版画コレクションを忘れては為らない。

ボストンの富豪スポルディング兄弟は、明治末から大正期に掛けて、帝国ホテルの建築の為に来日していた建築家フランク・ロイド・ライトに「発注」し、六五〇〇枚にも及ぶ浮世絵版画を蒐集したが、ボストン美術館への寄贈にあたり、世界で最も状態の良いこの版画コレクションを、保存上の理由から「決して一般公開しない」と云う条件を付したのだ！　そしてその甲斐有って、今ではこのスポルディング・コレクションを、「浮世絵の〝正倉院〟」等と呼ぶ人も居る様に、昨日摺《す》ったかの様な色と紙の状態を保っているので、当時の色等を研究する際にも、世界で最も貴重なコレクションと為っている。私は、このコレクションの一部を「和の鉄人」であった父のお陰で観た事が有るのだが、その中で大好きな一枚を挙げるとすれば、葛飾北斎の《百物語　さらやし記》(番町皿屋敷)に尽きる。

「世界で最も名の知られている日本人アーティスト」と云える北斎の版画作品にもっと有名な作品が有るのは承知だが、誰が何と云っても私はこの《百物語》と云う妖怪を描いたシリーズを評価していて、そのデッサンの素晴らしさと色使い、構図の凄さ、そして「題材の選び方」は、北斎、いや全浮世絵版画の中でも出色の作品だと思っている。この《百物語》は北斎が七二歳位の時の作品だそうだが、《百物語》と云う位だから当然北斎は百枚描こうと思っていたと思う。けれど、何故か五枚しか完成していない。その五枚の中でも、この《さらやし記》と《こはだ小平二》の二枚が真の最高傑作だと思うが、個人的に《さらやし記》のお菊さんの(何故か)「轆轤首《ろくろくび》」的な首が「皿」に為っている所が面白いし、口から何やら煙の様な物を出しているのも奇々怪々である。そしてこの版画のブルーの色の素晴らしい事！　……「北斎、やっぱり凄い！」な逸品だ。

かなり個人的趣味に走って仕舞ったが、もう十分お判りの様に、アメリカの美術館は「日本美術品の宝庫」なのである！　そして此処に挙げた美術館以外にも、スミソニアン博物館フリーア美術館やシカゴ美術館、ニューオリンズ美術館、ロサンジェルス郡立美術館、ホノルル美術館等には、質の高い日本美術コレクションが在るので、旅行・出張の際に是非とも訪れてみて頂きたい……。外国で観る日本美術は、「中」に居ては気付かなかった事を、時にはハッと気付かせてくれるかも知れませんよ！

世界に誇れる日本美術品は「文化外交官」である

此処迄の話でお判り頂ける通り、日本の美術品は広くアメリカの美術館に収蔵されているが、それはヨーロッパでも同様だ。イギリスの大英博物館やヴィクトリア&アルバート博物館、フランスのギメ東洋美術館、ベルギーのブリュッセル王立美術館、ドイツのベルリン国立アジア美術館やケルン東洋美術館、イタリアのキヨッソーネ東洋美術館やトリノ東洋美術館、オランダのライデンにある国立民俗学博物館、ポルトガルの国立古美術館、スイスのリートベルク美術館、ロシアのエルミタージュ美術館やプーシキン美術館……、少なくともこれらの美術館は日本美術品を所蔵しているのである。序《つい》でにオーストラリアのヴィクトリア国立美術館と、韓国の国立中央博物館、アラブ首長国連邦のルーブル・アブダビも追加しておきたい。

世界のこれだけの国に所蔵される日本美術だが、ではこの事実を、我々日本人は一体どう受け止めるべきなのだろうか？　向こうさんが我々の国の美術品を勝手に気に入って、勝手に買って、勝手に展示している、で良いのだろうか？　国や文化庁、国際交流基金等が後援・援助等をしている事は勿論承知しているが、私が此処で云いたいのは、日本人一人ひとりの事なのだ。

これだけ世界に認められている日本美術品に就いて、もし外国人から何か質問されたら、一体どれ位の日本人がそれに答えられるのだろう？　これは広く云えば日本文化全般に云える事で、これに関しては私がロンドンで働いていた時、痛感した事がある。それは、クリスティーズ・ロンドンの、いや世界の誰もが、日本から来た私に聞きたいのは、例えば「禅」や「茶道」、「神道」や「北斎」等の日本文化の事であって、誰もピカソやルノワールの事なんか聞きたくない、と云う事で、これは「人を知る前に己を知れ」と云う事。

そして自国の歴史や言語、文化を或る程度確り学んだら、今度は外国に出て、外から日本を見る。これが「井の中の蛙《かわず》大海を〝知る〟」と云う事だし、「人の振り見て、我が振り直せ」、そして世阿弥《ぜあみ》の「離見の見」に通じるのである。この事が出来た時、初めて日本人一人ひとりが様々なレヴェルでの「外交官」に為る事が出来、より世界から尊敬されるに違いない。

これは理想である……。だが、現実はそう旨くいかないので、其処で頼りにするのが所謂「外交官」の人達なのだが、私の経験から云うと、正直彼等も日本文化に関しては心許ない。だが質の高い「美術品」は違う！　全世界の人々が訪れる大美術館で、古代から現代迄の、世界に星の数程有る如何なるハイ・クオリティ・アートと共に並んでも、それらに負けずに燦然《さんぜん》と光を放つ日本美術は、外国の人々に日本と云う国と文化のクオリティの高さを理解して貰える最高の「ツール」、云い換えれば最も優秀な「文化外交官」なのである。

例えば日本が中国と余り旨く行っていない中、中国には「国宝級の日本美術品」もそれを展示する美術館も無い（台湾の国立故宮博物院の展覧会を日本でしていても、台湾にすら無い）。この場合、美術品を「文化外交官」と位置付け、日本の国宝や重要文化財の美術品群で、中国からの影響の強いモノ、或いは中国産の質の高いモノを、中国や台湾に「永久貸与」して、飾って貰ってはどうだろうか？　日本にこれだけ重要な中国美術品が存在し、国宝や重要文化財に指定されているのに、あちらに日本国産の重要作品が無いのは不公平ではないか？　これが先程「勝手に集めた」云々の話なのである。「集めなかった方が悪い」とはせずに、持っている此方から渡して観て貰うのが、肝要だと思う。そして延いては、世界の色々な国と「文化財の交換」をして、お互いに大事に美術館・博物館で展示し、お互いの国民に観て貰う。そして日本側のその美術館・博物館は、「世界文化美術博物館」と為る。これこそが日本美術品の持つ「世界最高レヴェルのクオリティ」を最大限に活かす方法のひとつだと思うが、如何だろうか。

変化し続ける日本美術のマーケット

では、そんな日本美術品の現在のマーケットはどんな具合に為っているのだろう？　日本美術品のマーケットは、日本がバブル時代に矢張り高騰した。それは印象派のフィールドだけで無く、日本美術の分野に於いても、個人コレクターや彼等が持つ私立美術館やその母体と為る企業が好景気だったからで、それに伴ってディーラー達やクリスティーズの様な海外オークションハウスも当然潤った。

しかし前にも書いた様に、私がこの業界に入った時は既にその「後始末」の時代だったので、九〇年代の後半以来暫く日本美術の価格が下がり続けている時代に、私はニューヨークへと来た訳だ。なので、二〇〇〇年代初頭は作品集めにかなり苦しんだのだが、持ち前の運の強さで幾つかの美術館からの出品や、個人コレクションを扱う事が出来、一点で一億円以上する作品も何点も扱った。しかし残念ながらマーケットはシュリンクし続けた。

それには色々な理由が有る。最も大きい理由は当然日本経済力の著しい低下で、本来は人間に取って「必要品」である美術品が「贅沢品《ぜいたくひん》」と為り、不景気の中買い控えられた事。次にこれも前にも書いたが、日本人の生活様式が極端に西洋化された事。また海外のマーケットで云えば、一九七〇年代位から買い始めたアメリカ在住の日本美術のビッグ・コレクター達が年を取り、コレクションもそれなりに充実して仕舞い、購買意欲が減退した事と、日本経済の凋落《ちょうらく》により日本国に対する興味と共に、日本文化や美術品に興味を失った事、そしてその間に若年層のコレクターが育たなかった事。或いは、そのビッグ・コレクター達のコレクションは、美術館へ寄贈される事が多く、その中のクオリティの高い作品がマーケットに出てこない為、新しいコレクター予備軍の眼を惹かない、等が考えられる。

もうひとつは、日本美術に於ける「トレンドの推移」だ。今日本美術品を買っている人々は、実際世界各国に居る。それはアメリカ、EU諸国、中東、中国、ロシア等だが、其処で買われるジャンルは非常に限られていて、端的に云えば、版画・甲冑・明治工芸（七宝・金工・一部の作家による漆工芸）、そして仏像である。

例えば最近だと、明治時代の工芸が海外でも非常に評価が高く、一寸したトレンドにさえ為っている。特に金工と七宝焼の、所謂「超絶技巧」と呼ばれる品である。金工品に就いて少し解説すると、その背景には江戸時代迄鎧や刀を作っていた人達が、時代の流れで明治時代ではそうした仕事が略無《ほぼ》くなって仕舞った事がある。しかし興味深い事に、当にその事にもよって、名もなき刀鍛冶や金工師、兜職人達が、自分の名前を出して腕前を見せる大チャンスが訪れたのだ。その結果、ある意味その腕前を誇示するかの様な、ハイ・クオリティの作品が多く生まれた。この時代の金工細工の技術は、恐らく世界の歴史を見渡してもトップクラス。故に外国のマーケットでも非常に評価されている。

一方で、絵画・陶磁器・刀剣等は最近北斎の《神奈川沖浪裏》が一億円以上で売れた浮世絵を除いて、マーケットとして近年は難しい状況が続いている。価格帯で云えば、仏像や屏風・掛軸の「最高級品」はプライヴェート・セール等では今でもかなり高額で売れるのだが、要は今のジェネラルなマーケットは「装飾美術」全盛時代と云え、所謂「ハイ・アート」はトレンドでは無いのである。

しかし、何のマーケットでも浮き沈みが有るし、売れ線のジャンルが変化する事も当然有る。需要と供給の問題も有る。当に今書いた明治期の工芸品は、実は今日本には余り残っていない。明治政府による殖産興業に於いて、日本の工芸品を外国に積極的に売ろうという動きが有り、丁度、その頃万博参加も始まった。日本館に工芸品を沢山持っていくと、物珍しいし、例えば「自在置物」みたいなものは「おっ、このエビ、鉄でできているのにこんなに動くんだ！」みたいな事で飛ぶように売れる訳である。そうすると更にどんどん国外に持っていき、結果として日本には余り残らなかった。その事実が貴重性を生み、今でも人気に繋がっている一面がある。唯、今では以前述べた様な「3D」、コレクターの代替わり等で日本国外からオークションに出てくる事もあって、それを例えば京都の清水《きよみず》三年坂美術館の様な、この分野をコレクションしている日本の施設が買い戻すと云う状況も起きている。

総じて、私が今最も危惧するのは矢張り若年層のコレクターの減少である。これこそ我々に課された大命題だと思う。それはアートの「遺伝子を残す」と云う事であり、これに就いては、本書の第六章「美意識を生活に活かす」でも改めてお話ししたいと思う。

世界が注目する日本の現代美術

それでは、日本の現代美術はどうか。これに就いては、村上隆、奈良美智、草間彌生、杉本博司の様なアーティストの作品には世界的に確りとしたマーケットがある。因みに世代が上に為るが、岡本太郎の様に日本では非常に広く知られ、人気もある作家が、国際的なマーケットでは余り知られていないと云う事実も有る。

此処五〜一〇年位では、一九五〇年代に兵庫県の芦屋市で結成された「具体美術協会」と云う前衛芸術グループが世界的なマーケットで再評価されると云う出来事も有った。日本の戦後美術の重要な動きであった「もの派」に就いても同様の事が云え、これはヨーロッパで最初再評価され、世界マーケットに広がっていった。例えば「具体」のメンバーであった白髪一雄の作品で云えば、私がクリスティーズに入社した一九九〇年代初頭は二、三〇〇〇万円有れば相当良い大きな絵が買えたが、今は三億円でも買えない程に値が上がった。

戦後現代美術のマーケットと云うのは、マーケットが頭打ちに為ると、その状況を打破する為に、新しい作家や忘れられていた作家・作品を、ニュートレンドとしてマーケットに投入すると云う側面が有る。その時彼等が目をつけたのが「具体」や「もの派」だったと云えるだろう（これは売り買いしている人間の立場からの話で、美術史研究等の現場ではまた別の動きも有るが、両者が作用し合っているのも事実だ）。

岡本太郎が国外では知られてないと云う理由は色々有ると思うが、矢張り外国で展覧会をどれだけやったかが大きな分かれ目に為るとも思う。例えば棟方志功の様な人の方が、アメリカでは結構知られていて、それは棟方がロックフェラー財団に招かれて渡米して、展覧会をやった事等が関係していると思う。また藤田嗣治の様な人も居る。彼の作品は、例えばオークションでは日本美術のカテゴリーではなく「印象派近代絵画」と云うジャンルでの出品に為る事が多い。藤田はフランスに長く居た画家だし、エコール・ド・パリのグループに入っている人なので、そう為るのだろうし、実際、そちらで売る方が良い結果に為る事が多い。

村上隆は、こうした先達の評価のされ方も含めて、自国内だけのやり方で世界に打って出ても旨くいかない事を、重々判っていたのだと思う。だからこそ、自分がアーティストとして世界に出ていく時に、それ迄の日本作家とは全く違うアプローチを取った。彼がよく云っているのは、現代美術マーケットにおけるゲームのルールを知った上で参加しなくてはいけないと云う事だ。それは日本国内でのやり方では全然通じなくて、だからニューヨークやロサンジェルスでは「マーケット・ゲーム・ルール」を基に勝負していかないといけないと云う考え方だろう。

奈良美智や草間彌生の評価も、こうした村上隆の動きと繋がっていると思うし、その事を考えても、彼の果たした役割は大きい。ルイ・ヴィトンの様な海外のラグジュアリーブランドと本格的にコラボしたのも、これ迄日本の美術家では殆どいなかった筈で、それが他の作家にも広がったと見る事も出来る。

他方、今現在の作家で云えば会田誠は国内では広く知られているが、海外ではそうでも無い。彼の作品は、モティーフやテーマが、外国の人々からすると難しい所が色々あり、ジェンダーやセクシュアリティーの表現も勿論そうだが、彼の作品が持つ批評性の様なものがどこ迄伝わるか、評価されるかと云う難しさが有ると思う（当然ネットが発達した今、コアなファンは外国にも居ると思うけれど）。

ただ、私にも彼の作品で凄く好きな作品が幾つか有って、例えばモノトーンの山々の風景が、近づいてみると無数のサラリーマンが倒れこんだ姿でできている《灰色の山》等は、実に日本社会を揶揄《やゆ》しているし、ああ云ったコンセプトは外国の人にもきちんと届くのではないかと思う。

写真家の評価にみる「アート」の線引きの不思議

写真の世界では、アラーキーこと荒木経惟《のぶよし》はクリスティーズのオークションでも扱われてきた人だ。国外でもファンが多く、評価もされている。ただ彼も一部の作品に関してはジェンダー的な問題での壁は有る。二〇一八年に、長年モデルと為ってきた女性からの「#Me Too」の告白が有った事は海外でも知られているが、そうした行いをアーティストだから、と肯定してはいけないとも思うが、作品は作品として一定の評価が有る。それから、森山大道や細江英《えい》公《こう》も、其処迄数は多くないけれど、オークションに出てくる。

一方で、これは私も常に不思議だと思ってきたのだが、日本では彼等と同じか、それ以上に知られているであろう篠山紀信《しのやまきしん》は、オークションに作品が出てこない。彼は一時期美術館等での展覧会を引き受けてこなかったとも聞くので、何かそうした事も関係しているのかも知れないが……。

デザインや商業写真と、ファインアートとの境目は何かと云う事も、この仕事をしていてよく思う事だ。例えば、アーヴィング・ペンやメイプルソープ等は、元々はファッション写真の人で、其処から所謂アートとして認められる様に為った。しかし、同じくファッション写真の世界で活躍し、評価が高くても、所謂ファインアートのオークションに作品が出てこない人も沢山居て、その境目は非常に難しいと感じる。これは絵の世界にも似た事があって、どう見てもグラフィックデザインではないか?という作品がオークションに出てくるかと思えば、それと似た様な作風で全く出ない作品も有る。

だが、クリスティーズでも、数十年前はアートとして認められなかったのに、今はアートとして認められていると云う事例も有る。それは時代が変わる中で再評価、再解釈される等して、例えばファッション・フォトグラファーだったけど、今から思うと非常に斬新で、アートとして認めて良いのではと為る時代が来る。リチャード・アヴェドンみたいな人がそうだろう。

もっと判り易く云うと、前述の通り、私の専門領域である日本の美術品は、多くが「道具」でもあった。道具であったが美意識に貫かれた表現で作られていると云う事を以てして、日本美術と云っている。江戸時代の硯箱は、今美術館で美術品として観る訳だが、実際今も使えるものでもある。全てがアートと見做《みな》され得ると云う考えには賛同しかねる所も有るのだが（例えば、私は漫画は漫画で、グラフィックデザインはグラフィックデザインで良いと思うし、これらの表現は「アート」と呼ばずとも同等に尊敬に値する仕事だと思う）、嘗て優れた日本美術が実用性の中から生まれてきたと云う所に、面白さが有るのも確かである。

私の選ぶ「必見日本美術」ベスト30

この章の締めとして、私が現時点で必見だと思う、独断と偏見で選んだ日本美術（古美術から現代美術迄）を挙げてみた。美術館等で実見出来る作品も有るので、皆さんに於かれましても機会が有れば是非ご覧頂きたい。

1　伝運慶《木造大日如来坐像》（12世紀）

木造、漆箔、玉眼：真如苑真澄寺　半蔵門ミュージアム　（重要文化財）

私が2008年にオークションを担当した重要文化財の逸品（売却当時は無指定）。X線検査に拠り、胎内納入物の存在が確認されているが、800年以上未だに封印が解かれていない。初《うぶ》くも美しい、日本古美術品としてはオークション史上最高のクオリティの逸品。

2　古井戸茶碗《銘　老僧》（16世紀）

（財）藤田美術館

最愛の茶碗その一。本作は高麗《こうらい》茶碗なので日本人の手によるモノでは無いが、日本人の眼によって「育てられた」井戸茶碗の中でも、名品中の名品。大井戸も良いが、古（小）井戸茶碗のサイズ感とその佇《たたず》まいに惚《ほ》れる。死ぬ迄に一服飲みたい随一のお茶碗。

3　狩野内膳《南蛮屏風》(16〜17世紀)

紙本金地著色・六曲一双：個人蔵

長い間行方不明で、近年再発見された南蛮屏風。私も今迄数多くの南蛮屏風を扱い観てきたが、本作は最も素晴らしい状態とクオリティを持つ逸品中の逸品で、作者内膳のパトロンの家に伝わったと云う、来歴も最も信頼出来る重要な屏風。

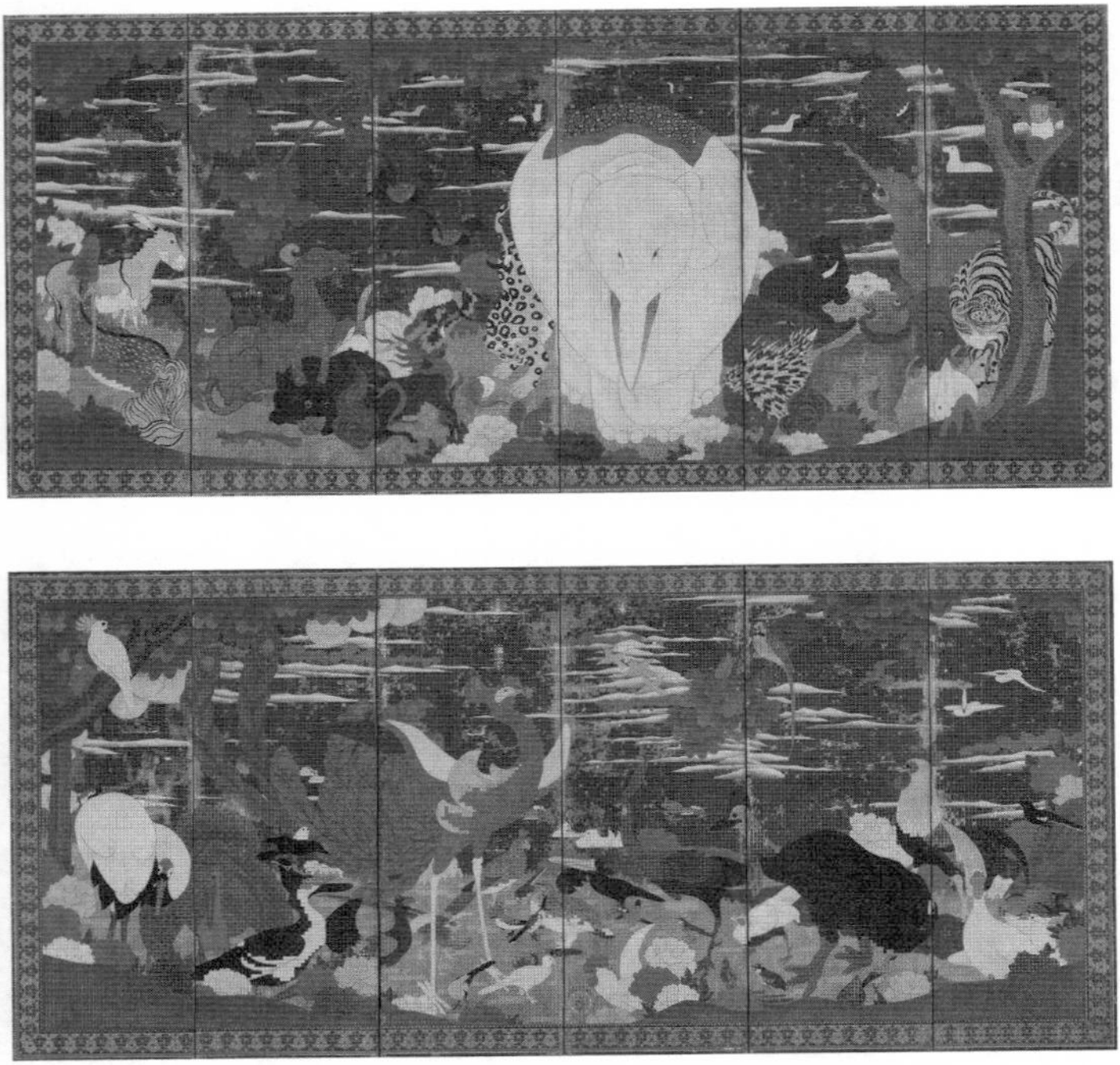

4　伊藤若冲《鳥獣花木《かぼく》図《ず》屏風》(18世紀)

紙本著色・六曲一双：出光美術館（旧プライス・コレクション）

出光美術館の大英断により、極《ごく》最近里帰りした、「奇想」の代表選手的な旧プライス・コレクション収蔵作品。しかし、この屏風程全世界の人をハッピーにする力を持つ日本美術もない！　2020年9月の里帰り展が待ち遠しい。

5　伊東深水《対鏡》（1916年）

大判・錦絵：各所

近現代日本版画の最高傑作だと思う。何度観ても、この作品を深水が18歳で描いた事には驚愕するしかない。何と早熟な青年だったのだろう……。

6 《**木造乾漆阿弥陀《あみだ》如来坐像**》(8世紀)

木芯乾漆：個人蔵

40年近くアメリカ個人コレクターの許に在り、近年里帰りした大名品。崇高な雰囲気には格別なものが有る。

撮影／石川梵

7　神宮（伊勢神宮）

「最も古くて、最も新しい日本」と呼ぶべき、これぞ現代芸術と云っても過言ではない、謂わば時とジャンルを超えたスーパー・タイム・マシン。

8　一休宗純《初祖菩《ぼ》提《だい》達《だる》磨《ま》大師》（15世紀）

紙本墨書・掛幅：個人蔵

頓知の一休さんは、実際は気性が激しかったと云われていて、それはこの書にこそ現れていると云えるのではないか？　激しく美しく、そしてスピードに満ち溢れた墨蹟の大名品である。 ©Ryobi Foundation

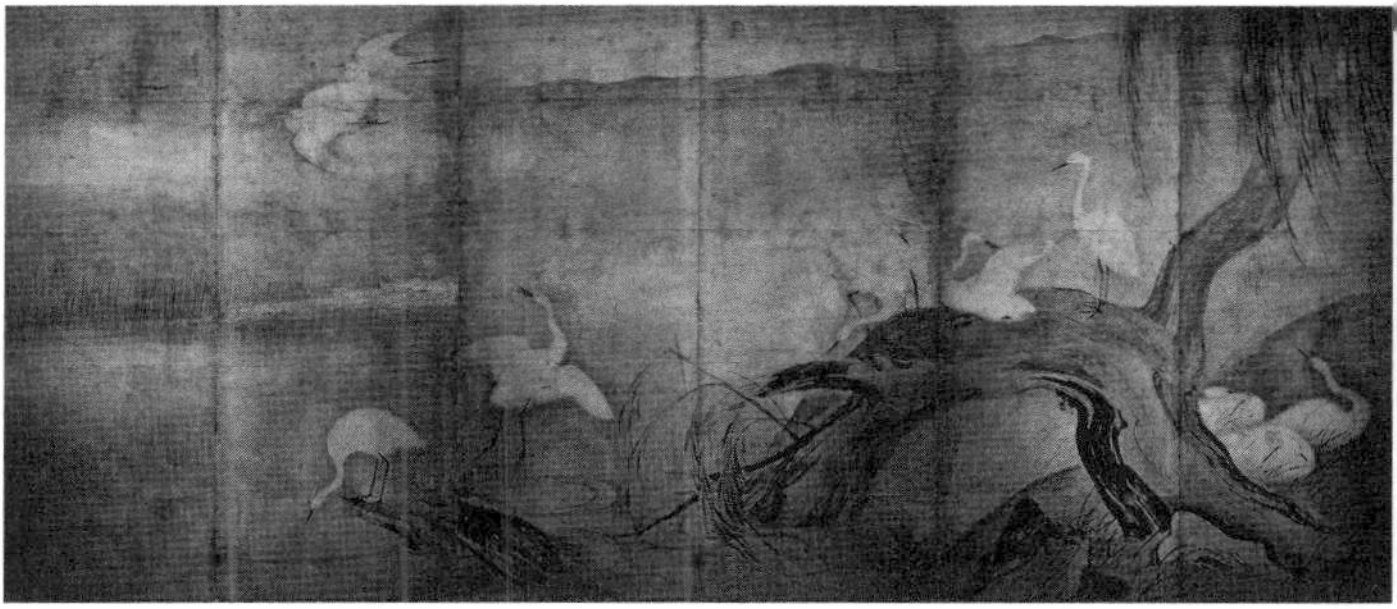

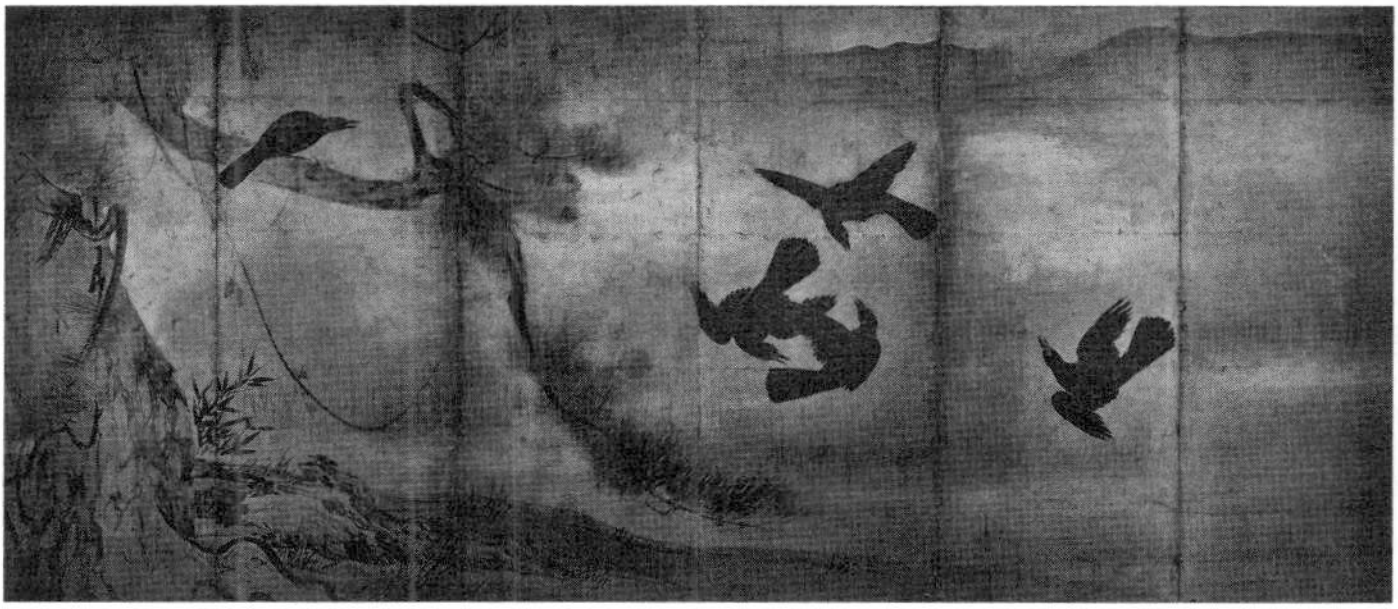

Photo by YASUNARI KIKUMA

9　長谷川等伯《烏鷺図《うろず》屏風》（1605〜1610年頃）

紙本墨画・六曲一双：前澤友作コレクション（重要文化財）

白と黒、動と静の対比が何とも美しい。DIC 川村記念美術館旧蔵の、現代の美術蒐集家が持つべき屏風絵の名作だと思う。

©Hiroshi Sugimoto

10　杉本博司《Seascape, Boden Sea, Uttwil》（1993年）

シルバー・ゼラチン・プリント：各所

古美術コレクターとしても知られる、世界的現代美術家の美しきマスターピース。有名ロックバンドＵ２がアルバム『No Line On The Horizon』のジャケットに同作を使用するに際し、杉本が「物々交換」（同アルバムの楽曲を彼が自由に使える）を提案して合意に至った話は有名。

11

曾我蕭白《富士三保図屛風》（一八世紀）

紙本墨画淡彩・六曲一双：MIHO MUSEUM

奇想の絵師、蕭白の秀作。長い間アメリカの個人コレクターの手に在ったが、近年里帰りした。日本の近代以前の絵画作品としては珍しい、美しい「虹」が描かれているのが見所。

12

東洲斎写楽《三代目大谷鬼次の江戸兵衛》（一七九四年）

大判・錦絵：千葉市美術館

数ある浮世絵版画の中でも、最も有名で最も手に入り難い作品。レンブラント、ベラスケスと並ぶ「世界三大肖像画家」の名に恥じない作品だと思う。

13

葛飾北斎《富嶽三十六景・神奈川沖浪裏》（一八三〇～一八三一年頃）

大判・錦絵：各所

世界で最も知られた「日本絵画」で、最近価格が高騰し一億円の大台を超えた初の浮世絵版画と為った。この作品が作曲家ドビュッシーの部屋の壁を飾っていた当時の写真等を見ると、この作品の世界への影響力と重要性が窺《うかが》える。

14

長次郎《黒楽茶碗　ムキ栗》（一六世紀）

文化庁（重要文化財）

私が最も愛するふたつの茶碗の内のその二。長い間個人蔵だったので、価格を無視して「何時の日か！」と思っていたが、国の所蔵に為って仕舞った（笑）。長次郎現存唯一の四方碗で、極めて日本的な「芸術家のエゴと伝統工芸の奇跡の融合」作品だと思う。

15

《熊野速玉大神《くまのはやたまおおかみ》坐像》（平安時代前期）

木造：熊野速玉大社（他三体の神像と共に国宝）

「仏像」は知っていても、意外と知られていないのが「神像」だが、この男神像程威厳に満ち、神々しさの有る神像は中々無いのではないか。

16

《待庵》（一五七三〜一五九三年）

妙喜庵（国宝）

或る意味「日本建築の粋」とも呼べる茶室。建築でもあるが、利休の晩年の思想を最も良く顕した「インスタレーション・アート」だと思う。

17

狩野山雪《老梅図》（一六四六年）

紙本金地著色・襖四面：メトロポリタン美術館

在外日本美術品の中でも一、二のクオリティを争う、旧パッカード・コレクションの名品。大画面に断《いな》く様に描かれる老梅木は、まるで生き物の様。

18

《吉備大臣入唐絵巻》（一二～一三世紀）

紙本著色・画巻：ボストン美術館

これも在外日本美術の大名品で、日本に在れば国宝指定間違い無しではないだろうか。日本で「重要美術品等ノ保存ニ関スル法律」ができる切っ掛けと為った、海外へ流失した重要日本美術品の先駆的作品。

19

《如意輪観音坐像》(九世紀)

木造：観心寺(国宝)

如何なる仏像の中でも、私が最も「セクシー」と思う作品。両性具有的で観る者を包み込む様な雰囲気は、それこそ仏の本性ではなかろうかと思わせる。

20

会田誠《紐育《ニューヨーク》空爆之図(戦争画RETURNS)》(一九九六年)

ミックスド・メディア：高橋コレクション

伝統的手法と革新的なモティーフによる作品自体の出来の良さもさる事ながら、二〇〇一年のアメリカ同時多発テロをニューヨークで経験した私に取って、一九九六年に制作された本作の衝撃の大きさはその予言性と共に計り知れない。

21

黒田清輝《野辺》(一九〇七年)

油彩・キャンバス：ポーラ美術館

私に取って、女性を描いた如何なる日本近代絵画中でも最も美しいと思う作品で、構図も面白い。ポーラ美術館所蔵も宜《むべ》なるかな。

22

《岩偶》（縄文時代晩期）

日本民藝館

縄文時代と云うと「土偶」を思い出すのが普通だが、これは「石製」。染色工芸の芹《せり》沢銈介《ざわけいすけ》が所持していた物だが、柳宗悦《やなぎむねよし》が「日本民藝館の全作品と交換しても良い」と絶賛して入手した作品。私も欲しい（笑）。

23

横山大観《生々流転《せいせいるてん》》（一九二三年）

絹本墨画・画巻：独立行政法人国立美術館（重要文化財）

日本画、特に墨絵は一般的に江戸期以前の作品の評価が高いが、この絵巻は伝統的手法を用いながらもモダニズム溢れる傑作だと思う。

24

伝孫次郎《孫次郎（オモカゲ）》（一四～一六世紀）

木造・彩色：三井記念美術館（重要文化財）

数ある有名な能面の中でも、「生っぽさ」で本作の右に出るものは無いのではないか。左右不均等な高さに彫られた眼が、却《かえ》って異様に艶っぽく、写実的な雰囲気を醸し出す。

25

《鳥獣人物戯画》（平安時代後期～鎌倉時代）

紙本墨画・四巻：高山寺《こうさんじ》（国宝）

アニメの原型とも云われるが故に、そのモティーフに眼が行きがちだが、その筆力とデッサン力、構成力は物凄い。

26

岡本太郎《明日の神話》（一九六八～一九六九年）

アクリル・壁画：岡本太郎記念現代芸術振興財団

海外では殆ど認められていないが、極めて日本的な現代美術感を満喫出来る岡本の超大作。渋谷駅と云うパブリック・スペースに在る事にも意味が有ると思う。

27

《黒糸《くろいと》威《おどし》胴丸《どうまる》具足《ぐそく》》（一七世紀）

個人蔵（重要文化財）

本多忠勝所有のこの甲冑は、金工・漆工・木彫・金箔押・染織等、日本工芸の粋を極めた作で、鹿角の脇立《わきだて》も猛々《たけだけ》しい。戦国武将のファッションの白眉。

28

《日月《じつげつ》四季山水図屛風》（一六世紀中頃）

紙本著色金銀彩・六曲一双：金剛寺（国宝）

白洲正子を待つ迄も無く、或る意味「日本の自然美」を象徴する、金銀彩の屛風。「草木国土悉皆《しつかい》成仏」を地で行く。

29

《二月堂練行衆盤》（一二九八年）

木造・朱漆塗：MIHO MUSEUM（重要美術品）

根来《ねごろ》塗の様に、黒漆の地に朱漆を塗っている。僧侶の食事による長年の使用により、朱が禿《は》げて下地が見える所が美しい。

30

柴庵《さいあん》《柳燕《りゅうえん》・鶺鴒《せきれい》図》（室町時代）

紙本墨画・双幅：個人蔵・千葉市美術館寄託（旧ドラッカー・コレクション）

「マネジメントの神様」P・F・ドラッカー旧蔵で、観ただけでも「風」を感じる室町水墨画の名作。

第五章

審美眼の磨き方

一級の美術品は全て永遠の「現代美術」である

　さて、私がオークション・ハウスのスペシャリストとして長く過ごしたニューヨークと云う街は、如何なるアート分野に於いても宝島である事は間違いないが、その中でも特に「現代美術」の宝庫である。それはアメリカと云う国の歴史と、この街の特性に拠る。何しろこの街は「新しいモノ」が生まれ易い街で、それは多国籍・多宗教な住民達に拠る異文化混淆《こんこう》が、嘗て無いアートを生み出す土壌を作っているからだ。そしてこの街は、アーティスト達を差別無く迎え入れるし、彼等への援助もする。だが、其処に住む住民達の目は肥えていて、そう簡単には彼等を甘やかさない。来たい人は拒まないが、生きていくには厳しい街なのだ。

　そんな街で日本古美術のスペシャリストをしてきた私は、当然「日本美術」を何よりも愛しているが、しかし愛しているのは正直それだけでは無い。お察しの通り、私の愛は現代美術にもかなり注がれているのである。

　私が現代美術を大好きなのには、大きな理由が有る。それは先ず、私が日々「死者のアート」を扱っているから。つまり作者が既に死んでいる「古美術」の事で、確かにこの古美術と云うモノの魅力は、そのモノが辿ってきた歴史のロマンなのだから、古くて当たり前だ。だが、これだけ古いモノを扱っていると、時折超新しい、出来立てほやほやの「生者のアート」を観たく為る。これは古いモノを観続ける事に拠って、私の「眼」が慣れて仕舞い、新鮮さを失って仕舞う事への危機感、と云っても良い。

そして現に現代美術を観る事に拠って、私の眼は「更新」され、また新たな視点で古美術を観る事が出来る様に為るのだが、この現代美術と云う「生者のアート」は、何時でも私が古美術を観る際に最も大事にする事を思い出させてくれる。それは、

「全ての美術品は、作られた時は〝現代美術〟である」

と云う事だ。

これは当然の様でいて、忘れられがちな事実ではないだろうか。例えばモネが《印象・日の出》を描いた当時、彼はバリバリの、然も大ブーイングを受けていた現代美術家だった。また国宝《松林図》を描いた長谷川等伯は、当時能登《のと》から出てきた一介の新進絵師だったが、永徳率いる狩野派が牛耳るアカデミズム全盛の都のアート・ワールドに打って出た、カッティング・エッジなアーティストだった。そしてその等伯を応援したのが、これまた当時稀代《きだい》の、いや日本美術史上最高最大のアヴァンギャルド・アーティストと云っても良い、千利休であったのだ。

杉本博司氏等がその利休と、現代美術の父と称されるマルセル・デュシャン（前述の通り「男子トイレ」をアートにした作家）を並び称する理由は其処に有る。利休はそれ迄の唐物（中国美術）偏重の茶の湯の常識を根底からひっくり返し、例えば小間茶室の導入、今焼茶碗（長次郎）や高麗《こうらい》茶碗、即興的に制作した竹花入等の新しい道具の使用等の、嘗て無かった価値観や芸術性を確立したからである。その点で、今の茶道は一部の茶人を除いて、利休を「茶聖」と崇《あが》め、利休に学べと云いながらも、その最も重要な思想である「前衛性」と「革新性」を無視し、通り一遍のお茶に終始している様に見える時が有る事が、私には残念なのである。

少し話が逸れたが、この様に如何なる「古美術」もできた時は当然「現代美術」だった訳だが、今その古美術を観た時に、ハイ・クオリティの現代美術を観ている様な「新鮮さ」と「斬新さ」を感じられる作品に限って、古美術品としても一流なのである。それはその作品を長い年月残してきたオーナー達の眼がそれを感じてきたからで、一流品の「フレッシュネス」はどれだけの時を経ても無くならない。

また同じ意味で、今度は逆に今現代美術を観る際、「この作品が一〇〇年後、いや五〇〇年後にその新鮮さや斬新さが失われ、〝古臭く〟感じられないだろうか？」と考える事も大切だ。すなわち、「現代美術」は「古美術」に為った時に或る意味真の評価が得られるからで、この事は「美術史」が証明している。なので、現代美術（市場）を美術史から切り離して語る事は、非常に危険な事だと考えている。

私のお薦め鑑賞法

美術の鑑賞法に就いては、仕事柄もあり、頻繁に聞かれる。私からお伝え出来る事は、先ずひとつにはとにかく良いモノを沢山観ましょうと云う事で、これは前述の通りである。

もう少し具体的に、例えば美術展での鑑賞法のヒントを聞かれる事も有る。この時に云うのは、先ずは展示室ごとに自分の好きな作品を決めてみては？と云う事である。例えばピカソ展に行くとする。最初の展示室を見て、その部屋を出る時に、自分が好きな作品を一個覚えておくなり、一寸書き留めておくなりするのだ。自分個人の好き嫌いで構わない。そうして、次の部屋に行く迄に、一分でも二分でも良いから、何故自分はこの作品が好きだと思ったのか？に就いて考えてみる。出来ればノートやメモ帳（会場で禁止されていなければスマホでも）に書いてみる事をお勧めする。色が良かったとか、構図が良いとか或いは其処に描かれた女の子が可愛《かわい》らしいとか、何でも良い。それから、次の部屋に進んでみる。

これを展示室ごとに続け、展覧会を観終わったら、今度は展示全体の中で自分の記憶を辿り、どれが一番良かったかを考えてみる。もしくは其処迄に挙げた展示室ごとのマイベストを、一〇個なら一〇個、今一度来た道を戻って観直してから、決めるのも良いだろう。その上で、何故それが一番だったか、改めて考えてみましょう、と云うのが私のお薦め鑑賞法である。

これをやると、先ず、漠然としていた部分も含め、自分の好みや感性が判ってくる。また、出来るならば図録も手に取って、その作品の解説を読んでみる。その解説に拠っては、「ああ、こうだったのか」「それなら此方の作品はやっぱり凄いな」と自分の意見がまた変わるかも知れない。それを繰り返していく事で、自分なりの作品の見方と、自分の美意識の様なものが判ってくると思う。何しろ自ら気になった物、気になった事を印象づけていく事だ。これに拠って「眼」ができてきて、知識も増えていくだろう。

出掛ける前に勉強して行くのも、勿論良い。例えば、ピカソがどう云う人だったのか。ただ、其処に展示してある作品を一個一個前もって勉強していくのは多分難しいだろう。能や歌舞伎では、知らない演《だ》し物を観る時は必ず前もってあらすじを勉強して行く方が良いと思う。けれども、美術展は中々そうはいかないし、私はそれで良いと思う。

だが、先の鑑賞法を実践すれば、次に違うピカソ展を観に行った時には、もう或る程度の経験値が増えている筈だ。他のアーティストでも、他の時代の美術も同様で、印象派でもポップ・アートでも、日本の室町時代美術でもいい。少しずつ経験を重ねていく事で、どんどん自分の中で作品の受け止め方が明確に為って行き、「観る」面白さが出てくると思う。

私自身、最初の最初は何をどう観るのが良いか判らなかった。本書でも書いた通り、小さな頃から父親に色々と仕込まれたと云うのはあったけれど、或る時から自分ひとりで、父親とは全く別の分野、それこそアンディ・ウォーホルの展覧会等に行くと、まあこれが判らない。勿論、何と無くカッコ良いとは思うけれど、自分はどれが一番凄いと思うか、何故そうなのかと云った事はぼんやりしている。それを考えたり、図録を読んで、コンセプトや技法等、色々な事を段々と学んだりする内に、少しずつ見方が変わってくる。矢張り最初の一歩、二歩と云うのは、このやり方が良いと私は思う。

そうして自分だけの「鑑賞ノート」みたいな物を作れば、その瞬間瞬間は勿論、後々も楽しめると思う。ジャンルは限らなくて良い。むしろ色々な分野を観た方が絶対に良いと私は思っている。どんな分野でも、良いモノは良いのだから。

常々感じるのは、どんな分野のアートでも、仮に全人類が観たとして、その多数が「凄く良い」と思う作品が、後世迄残っていくのではないかと云う事だ。例えばルーブル美術館に行くと、そう云う作品に沢山出会う。旨く云えないが人間には、美しい、とか凄い、と云った、人類共通の「感動の琴線」みたいな物が存在するのでは無いか?と思っていて、其処にリーチしない作品は中々残っていかない気がする。そして、そうした共有出来る感覚も、また一人ひとり異なる感性や美意識も、良い作品を沢山観て行く事で、より磨かれていくのだろう。

「ホンモノ」を見抜く眼力の鍛え方

近年、展覧会ではイヤホンガイド等を提供する企画も多く、それはそれで聞いてみるのも良いと思う。其処で語られる事や、語り手（企画側）が何故これらを素晴らしい作品だと評価しているのかを聞く事は参考に為る。だが大切なのは、それプラス、ガイドに追従するだけでなく、自分自身が素晴らしいと思うモノを選ぶ事だと思う。

率直に云うと、これは多くの日本人に最も欠けている所だと感じる。アメリカ等外国のコレクターは、「誰が何と云おうが私はこれが好き」と云う気持ちで買う人が多い。例えばジョー・プライス氏のプライス・コレクション（現出光美術館蔵）がそうで、彼は元々、既に国際的に評価の高かった物ばかり集めていた訳では無い。むしろ己の美意識による蒐集活動の末に、若冲等の評価が起きた訳で、（彼がそう思ったかどうかは判らないが）「私の眼は確かだった」と云う様な事に為るケースも有るのだ。

前述したように「全ての美術品は、作られた時は〝現代美術〟である」と云うのが私のポリシーで、その現代性が時代を経ても失われない物が、一〇〇年、一〇〇〇年経っても残って行くのだと考えているが所謂アウラと呼ばれるものも、其処に繋がるのではないだろうか。

これは万人受け、と云うのとも少し違っていて、例えばレオナルド・ダ・ヴィンチの《モナ・リザ》を観る時、皆あれが名画だと既に認識しているから「凄い！」と思うけれど、誰があの絵自体が本当に美しいと、描かれた女性が綺麗だと思うかと問われれば、あながちそうでは無いと思う。また、カラヴァジオの名画にしても、仮にあれを家に飾って毎日共に過ごしたいかと聞かれたら、どこか陰鬱な感じも有って怖いな、と思う人も居る筈だ。それはそうなのだが、矢張りこれらの絵が持つ魔力の様なものが有って、何百年間に渡って、目利き達が「これは捨て置けん」と大切に残してきたからだと思う。

一方、逆のケースと云うか、それが始まる時期が大分遅い場合もある。例えばゴッホの様に、生きている時は絵が殆ど売れなかった作家を、たった一〇〇年位で皆が素晴らしいと賞賛する様に為り、値段も何億、何十億円にも跳ね上がった。この辺りは興味深くも、中々難しい問題である。

オリジナルが放つアウラは複製出来ない

美術品の修復と、文化財保護を目的としたデジタル複製に就いても少し記しておこうと思う。先ず、両者は全くの別物であると云う事を強調しておきたい。

修復と云うのは飽く迄オリジナルの傷や汚れに対応する措置である。特に古美術の世界では、これもやり過ぎると経年変化による「古色」の魅力が無く為り、味わいが無く為り、つまらなく為ってしまう事も有る。実際、国宝の掛軸の裏打ちを代える等綺麗にやり直したら、余りに平面的に為って仕舞った、と云う事も起きている。故にクリスティーズでは修復の際も、なるべく現状の良さは残し、そうした事が起こらない様に留意している。

一方、近年は文化財の保護等の観点から、古い襖絵等をデジタル情報化し、超リアルな複製品を制作すると云う動きが有る。これは作品保存の観点から現物展示に制限が有る物に就いて、より多くの人々に鑑賞機会を与える為とされる。また万一、現物が損傷、焼失等の憂き目に遭った時も、嘗ての姿を共有出来ると云う事だろう。

その事自体に異議を挟もうとは思わない。唯、其処で忘れてはいけないのは、そうした「複製」はどんなに精巧でも複製であり、本物では無いと云う事だ。そして、一〇〇〇年も二〇〇〇年も「本物」と暮らしてきた日本人の美意識と云うのは、矢張り複製を通しては培われ得ないのではないだろうか。

仮に近い将来、長次郎の茶碗の３Ｄコピーが、形ばかりか重さも質感も殆どそっくりに再現出来たとする。それでも、長次郎その人が作ったものと比べて、それこそアウラ的なものが感じられなくなって仕舞ったら、矢張りその作品を通じて培われた美意識は潰《つい》えるのではと私は思う。

それでも、「何時かオリジナル作品は劣化するし、もしくは災害等で消失して仕舞うかも知れないのでは？」と云う考えも判らなくは無い。ただ私等は、それが故に、時代時代で新たな美術品が生まれてきたのではないか、とも私は思うのである。

かの長谷川等伯にしても、狩野派が主流だった時代に能登から出てきた時、利休や大徳寺の僧侶が、彼に絵師としての見どころがあると見抜き、採用して描かせたから、今国宝《松林図》が残っていると云える。また、壊れた器を継ぎ直して金漆で修復し、新たな美を創り出す「金継ぎ」等は、日本独特の「直しの文化」があったから発展した「美の技術」だ。そう云う事から遠く離れ、複製を人々に観せておいて、「本物」はただ厳重に保存しておけば良いと云うような考えには、矢張り全面同意し難いのが本音である。其処では、作る側だけではなく使う側、観る側の「本物からのみ得られる美意識」みたいなものが失われつつあるのでは、と危惧してしまうのだ。

出雲阿国からデコ携帯迄

美術の話とはまた別に、しかしどこかで繋がっているかも知れないと思うのは、現代日本の其処彼処《そこかしこ》に見られる画一化の様相だ。大きな範囲で云えば、西洋化された生活形態もそうだし、身にまとうファッションもフォーマル、カジュアル問わず、似た様な格好をした人が目立つ（外国の友人が日本に来ると、例えば若者の多い渋谷あたりに行っても「何故、皆が同じ様な格好をしているの？」と云われる）。お洒落《しゃれ》かも知れないが、其処に個性が余り無くなってきている様にも思う。

しかし、これ迄の日本人の生活の中には、自分が本当に好きな道具を身の回りに置いて生きていく暮らしがあった。だからこそこの国では、道具がアートに為っていったのだと思う。「其処の壁が空いているから、何か掛けておくアートが必要だな」と云うより、例えば其処に置いてある硯箱に美を見出して、色彩なり文様なり、より自分の美意識に合う道具を選んだりして生活してきた筈だ。勿論今は硯箱を使う人はそう居ないが、今でも暮らしの各所に道具は有る。有るのだが、「自分が使うお皿はこれじゃなきゃ」と云ったこだわりが随分減ってきたのではないだろうか。

一時期流行《はや》った「デコ携帯」も、初めて見た時「うわ、これは何てジャパンなんだ」と思った。刀剣の鍔や印籠等、限られたスペースにいろんな意匠を凝らして、個性的にするのは日本人の得意技だ。だから、デコ携帯を前に「これって現代の印籠じゃないのか?」等と思ったのである。つまり、日本人には未だそう云う面白い美意識と感性が息づいているとは思うのだが、最近はそうした物も中々登場しない気がしている。

斯く云う自分はどうなのだと云われると、大した事はしていないが、コム デ ギャルソンの派手な蛍光ピンク色の、お札を折らないと入れられない財布を愛用している。こう云っては何だが、一応世界的オークション・ハウスの日本法人の社長を務める人間が、お客様の接待等で支払い時にこんな財布を出してくると、「こんな財布持たないで、ちゃんと黒革の長財布みたいな物を使いなさい」と云われたりするが、「いや、私はこの財布が凄く気に入っていますし、このブランドのクリエイティヴィティを尊敬しています。それにこの目立つ色のおかげで、タクシーで落としたりしても直ぐ判るので」と云って使い続けている。そう云う位の事から始まる「自分らしさ」が有っても良いと思うのだ。

バンクシーが投げかける意味

アートと美意識と云う事に関連して、世界的に有名な覆面アーティスト、バンクシーの「シュレッダー裁断事件」に就いても何か書いてみないか、と云う本書編集担当氏の提案があり、思う所を述べてみたい。知らない読者の為に簡単に説明すると、これは二〇一八年一〇月、サザビーズが開いたロンドンでのオークション会場に於ける出来事だった。出品されたバンクシーの絵画作品《風船と少女》は、ふたりの電話入札者の競争の末、事前予想の三倍にあたる一〇四万二〇〇〇ポンド（約一億五五〇〇万円）で落札。しかし、落札を告げるハンマーの音と同時に、会場にアラーム音が鳴り響き、何と絵の額縁に仕込まれていたシュレッダーが起動して、《風船と少女》の下半分が裁断されたのである。バンクシーは自身のInstagramで「破壊の衝動は、創造の衝動でもある」と云うピカソの言葉と共に、額縁の制作過程とオークション会場の様子を撮影した動画を投稿。「競売に掛けられる事に備え、作品の中に数年前からシュレッダーを潜ませていた」と明かした。

ライヴァル会社のオークションでの出来事なので、詳細は判らないし、余り否定的な事を云うつもりも無い。が、この件で騒ぎまくっている日本のメディアに辟易《へきえき》している身として、敢えて個人的意見として云うなら、私はあれは一種のショーだったと思っている。何故かと云うと、オークションに出る作品は、カタログをする（スペシャリストが作品の素材・材料、サイズや状態、作家名等を調べ、基本データを作る事）際に私の様なスペシャリストが作品を必ず事前に綿密にチェックするので、額縁の中にシュレッダーが入っていたのに気付かない、と云う事は略あり得ないからだ。もし見逃していたのなら、そちらの方が一流オークション・ハウスで雇っているスペシャリストのレヴェルとして大問題である（時限爆弾でも入っていたら、どうするのだろうか？）。だから、会場に来ている人々はどうあれ、バンクシーだけで無く、オークションの主催者であるサザビーズ側もあれが起こる事は絶対に判っていた。謂わば演出だったのではないだろうか、と云うのがスペシャリストである私の見解だ。

バンクシーと云う、所謂ストリートアーティストの作品が、商業的にも価値を持っているのは事実である。神出鬼没で、街角の壁等に、世の中の可笑しな所を揶揄する様な表現を続けていて、多くの場合非合法的制作である点は兎も角、私としてはバンクシーのそうしたアナーキーな活動は割と好きだったが、この裁断事件の様に何か仕組まれる感じだと、一寸複雑な心境だ。まあ、バンクシーと云う覆面アーティストが、果たしてひとりなのか、或いは複数人から為るグループなのかも判らないとすれば、何とも云えない所もあるが……。

なお、この件では前述の通り、バンクシー本人が犯行声明とも云える発言をソーシャルメディアでした訳だが、彼（彼女?）の様なアーティストがストリートで制作した作品の真贋を問う事は、謎のヴェールの向こうに居る本人が発言しない限り、難しい事でもあろう。二〇一九年の一月、東京都・港区でバンクシーによるものではとされる《アンブレラ・ラット》（傘をさすネズミ）の絵の存在が公になり話題に為った。東京都が保護・展示等をした事で賛否両論を呼んだが（序でに都知事は、落書きと云う「迷惑防止条例違反」に就いては、何も問わなかった）、その真贋は明らかに為っていない。バンクシーはその真贋や美意識を考える上でも、私が扱ってきた美術品とはまた違う視点を与えてくれる作家だと云う事は、云えるだろう。

第六章

美意識を生活に活かす

「アートの遺伝子」の冒険

さて、そろそろこの本も終わりに近づいて来たので、愈々《いよいよ》この本で私が皆さんにお伝えしたい、「アートの遺伝子」に関しての話を始めよう。本書の前半では、私と云う個人が両親や環境から授かったと云えるアートの遺伝子に就いて述べたが、此処からはより大きな、社会や歴史と云うレヴェルで見た、アートの遺伝子の話である。

此処でもう一回だけおさらいしたい。

「美術品」とは、

① 人を介さずには存在しない：自分ひとりで山奥に閉じ籠もり、一切人に会わずに絵を描き、それを誰にも見せずに自分だけで悦に入り、自分が死ぬ時に全て焼き捨てて灰にして仕舞う。これを美術品とは呼ばない。

② 来歴が必ず存在する：美術品には必ず何らかの「来歴」が有る。それはその作品が誕生して以来、誰かによって意図的に伝えられて来たからである。

③　人は死ぬが作品は残る：如何なる美術品も何時かその作者は世を去り、持ち主も次々と死んで行く事に為るが、それでも作品は残り、次の持ち主へと引き継がれる。

そう、そしてこれ等の事を考えると、私には「美術品」が恰も「遺伝子」の様に思えて来るのだ。人間の肉体である「所有者」＝「来歴」を何十、何百、いや古代美術で云うならもしかしたら何千と云う数を経て、それが今美術館や博物館、コレクターやもしかしたら貴方の家に在ると云う事実。それは貴方自身が今存在している事実と符合する。そして時にはまるで「美術品自身の意思」が次の所有者を選んで残って行くのではないか、と思える程に、作品が「行くべき場所」に移動する場合も有る。これも何処か遺伝子的な「必然性」に満ち満ちている気がするし、或いは数多の美術品の中で、目利きが選び続けた良い美術品が選択されて残って行く、と云うのも、何か有機的な感じがしてしまうのだ。

千利休の直系で、僧籍も持つ武者小路千家家元後嗣の千宗屋氏の言葉に拠ると、仏教では伝統は「伝燈」とも書き、手燭《てしょく》の蠟燭《ろうそく》に点《つ》いた燈《あか》り（教え）を、師から弟子へと手渡して行く意味が有ると云う。そして我々にはそれと同様に、「遺伝子」＝「過去に作られ、今迄残されてきたアート」、また「伝統」を更に次世代に繋いで行く責任が有る。その最も大きな理由は、日本と云う国が長い間大事にして来た独自の文化芸術は、これ迄述べて来た様に「世界」から認められている、如何なる地球上の文明の中でも有数の物である、と云う事、その「世界文化遺産」的日本文化・芸術を守るのは、自然を守るのにも等しいと、私は最近強く思っている。

日本人として「遺伝子」を作る責任

第五章の「一級の美術品は全て永遠の『現代美術』である」の項で述べた様に、如何なる古美術も現代美術である。と云う事は、もし「現代美術」が「嘗て無かったアート」であるべきならば、素晴らしい古美術品が何千年もの長い年月の間、日本を含めた世界の美術史上にこれだけ生まれたと云う事実は、

「〝伝統〟と云う物は、〝革新〟の連続の結果である」

と云わねば為らない。そしてこの「革新」的創造こそが、我々に課された未来的な義務としての、「新たなる遺伝子」を作る事なのである。

日本には「伝統」と云う、如何なるアートに取っても世界に稀な素晴らしい「土壌」が有る。そしてこの「土壌」は日本独特の「日本古来」＋「外来」のミクスチャーによって醸造された物で、嘗て無いアートを生み出す力に溢れていると思う。「革新」を続ける事は辛く苦しい事

だ。けれども、それが未来の「伝統」や「古典」に為る可能性を思えば、また「遺伝子」たるアートの悠久な存在に比べれば、ほんの一瞬でしかない私達の短い一生で、それをやる価値は十分に有るのではないだろうか？

「遺伝子」を守りながらも、この「試み」を諦めずに続けると云う事。それは生きていく、と云う事と同じだと私は思っていて、生物学的にも昨日と全く同じ自分が存在しない様に、アートや文化、そして世界と共に、毎日ほんの少しずつでも自分を「革新」して行きたい、と私は日々、日本と外国を行き来しながら考えているのです。

「美術品のある部屋」のススメ

日本でも昔は多くの家に、床の間みたいなものがあった。別にお金持ちでなくても、何と無く掛軸の一本ぐらい、花入のひとつぐらいはあったり、一寸お茶を点《た》てたりと云うのは割と普通だったのではと思う。また、これは私の持論なのだが、日本の美術品がそもそも「古道具」とか「茶道具」等と呼ばれる様に、実用品の側面を持つ物が多く、前述した様に屏風、硯箱、お茶碗も然り、生活に用いる物に自分達の美意識を注いできた事が、日本美術の特徴だと思っている。

それが近代化以降、特に戦後にアメリカの文化が凄い勢いで流入し、物も空間も考え方も西洋化されていく中で、日本人は嘗ての「美術が身近にある暮らし」から離れていったのではないか。一方で、日本人は古くから舶来物好きでもある。例えば、今お金に余裕のある層はそうした西洋製の高級時計や自動車に価値を求める傾向も強いと感じるが、美術品迄は中々リンクして来ないようだ。

ただ、その西洋に於いては、矢張り今も何らかのアートが溶け込んでいる家が非常に多いと感じる。私はニューヨークに長く住んでいたが、アートフェアでも本当に普通の人が子供連れで訪れる等しているし、例えば廉価のアート作品を自宅に飾ったり、友達のアーティストの作品を置いたりという形で、生活の中にアートが存在している。翻って日本では今、住宅のリビングでの主役が大型テレビだったりする。それが悪い事だとは思わないが、アートは暮らしに電化製品がある前から存在してきたと云う事、そして価格の高低によらず「美意識を受け継ぎ、伝えていく」事が出来る物だと云う事が、今こそ見直されるべきと思うのである。

と云っても、何も難しい事は無い。例えば、本棚の一画や棚と棚の間の空間を使って、本の代わりに好きな絵や写真、置物等を飾ってみる。或いは花等を活けてみたりしてもいい。それだけで、即席「現代床の間」が完成し、日常生活で目がホッと一息する空間に為る筈だ。これ

著者の自宅

は実際に、アメリカの日本美術コレクターが西洋式の自宅に作品を飾る為に実践しているのを私も度々目にしてきた鑑賞の為の工夫である。より規模が大きく為ると、例えばニューヨークのフリック・コレクションの様に、外国のコレクターでは邸宅をその儘美術館にする事も少なくない。しかし其処にも、その人の美意識で選んだアートが実生活の中に有る、その事が大きな魅力に為っていると思う。

要は自分の身の丈に合う所から（敢えて云えば其処から少しだけ背伸びし、頑張る位が丁度良いかも知れない）、暮らしに美意識を取り入れると云う事だ。例えばお茶に親しむにしても、私は確りした茶室で嗜む事だけが唯一の正解で、それ以外は間違いだと云う風には考えていない。私自身、今の自宅に茶室は無いのだが、台所でお抹茶を点て、普通にソファで友達と一緒によく飲んだりしている。

究極的には、私も人生の最期を迎える頃には、西行の歌に沿って桜の散るのを眺めながら、矢張り床の間が有る和室に掛軸（出来れば《春日宮曼荼羅《かすがみやまんだら》》）を掛け、気に入ったお茶碗（出来れば井戸茶碗）からお抹茶を飲み……と云う時間を過ごしたい夢が有る。しかし、率直に云って今、殆どの日本人が西洋的な環境で暮らしている中、和室で桃山時代の茶碗で抹茶を飲むのは不粋な行為だろうか？　そんな事は無いと私は思う。同様に、部屋の此方側に現代美術が飾ってあり、あちら側には仏像が立つ空間が有っても、其処に暮らす人の美意識が貫かれていれば、素晴らしい事では無いだろうか。

自分好みの美術品をどう飾るか?

自分で購入した美術品をどう飾るか、と云うのも奥が深い楽しみである。絵画や版画等の平面作品であった場合、額装と云うのも必要に為る。購入時に既に付いている物も有るし、自分の趣味で新たに額装する事も有る。或いは最近の現代美術を観ると、額を全く付けない絵も沢山あり、キャンバスの側面にも絵が連続してあったりして、其処迄が作品だと云うケースも有る。

自分好みに額装をしたい場合、基本的には額装屋さんに依頼するのが良いだろう。私なら、自分の趣味嗜好《しこう》からでもあるが、現代美術系の額装屋をお勧めする。センスの有る良い担当者がきっと居るだろう。現代美術の場合、基本的には、額装はシンプルであればある程いいと思う。例えば白木の額等、作品をなるべく邪魔しないものがいい。

一方、掛軸等には「表具」と云うのがあり、この表具の組み合わせと、中身の作品との兼ね合いも肝要に為る。その作品をより個性的に見せ、引き立てるテクニックも其処には必ず有るので、これはその道のスペシャリストである表具師か骨董店主に相談する方が安心だろう。

しかし勿論、額装にも自分なりの遊び心を入れて良いと私は思っている。例えば、私は自分の持っている明治期浮世絵師国周《くにちか》のポップな役者絵を、ベルベットのマット（作品と額縁の余白を埋めるパーツ）に載せて、其処に洋画でよく使うような装飾的な金色の額縁を、真っ黒く塗って入れたりしている。これは何とも云えぬデカダンでキッチュな感じに為って、自分でも相当気に入った額装と為った。

これもその人その人の美意識次第だと云う事が出来るが、そうした飾り方に就いて考える際も、美術館と云うのは良い処だと思う。伝統的な良い美術館、或いは最先端の美術館に行くと、各々見せ方も額装も異なる思想で考えられていて、その点でも勉強に為る。

個人で自宅等に作品を飾る際は、壁紙やインテリア等との相性もある。最近の住宅では大概の壁は白くなっているので相性をさほど気にしなくても良いが、外国に行くと今でもウィリアム・モリス（一九世紀イギリスの詩人・デザイナー）の様な壁紙だったり、凄く強力な色な壁だったりする。でも、そうした個性的な壁にもこの絵は凄く合う、と感じる事も有るので、それは矢張りセンスの問題なのだろう。

少し視点を変えると、アートと暮らすと云う事に於いては、住環境に於ける作品の飾り易さ、と云うのもひとつ関係してくると思う。例えばニューヨークのアパートに暮らしてみると、彼の地は地震が殆んど無いので、焼物、彫刻等を平気で色々な処にディスプレイ出来る。これは楽しかった。

また、絵を飾る際は広い壁が有ると良いのだが、そう云う時、壁の中心を少し外して絵を一枚掛けるセンスの人と、三枚掛けたくなって仕舞うセンスの人、これも色々だろう。が、私の考えを述べるなら、矢張りアートは出来るだけシンプルに見せ、作品同士を近づけ過ぎない方がいいと思っている。複数持っている人は、それを偶に取り替えて楽しむ方が良い……その方が、絵が生きると思う。唯、これもその人のセンスや美意識の反映だから、自分と感覚が違うからと云って責めたりは出来ない。作品を大切に扱う事、そして、持ち主や其処を訪れた人々が、互いにそうした個性を楽しみ合う事が一番だ。

美術品を買う事の意味

身近に美術を楽しむ素晴らしさの話をした序でに、美術品を買う事の意義、或いは魅力に就いて私の考えをお伝えしておこう。美術を「売る」仕事をしている私だが、個人的に「買う」事もしている。最初の切っ掛けは、クリスティーズの研修社員としてロンドン、ニューヨークで過ごした後、東京勤務と為り日本に戻ってきた頃、老舗の中国陶磁器のお店に出入りするように為った。一見壁が高そうなのだが、何故か私は其処の店員さんに可愛がって頂いた。そんな或る時この人が私にこう聞いてきたのである。

「山口君、君は自分でもモノを買うのかね？」

私は「いいえ、未だお金も無いし、買えないです」と答えると、彼はこう云う。

「貴方ね、オークション会社に居て、売って下さい、買って下さいと人に云うのに、自分がそれをしないで、身銭を切って買う人や、大事にしてきたモノを手放す人の気持ちが何で判るのかね」

云われてみればその通りである。其処で私も「判りました、では何か見せて下さい」と為り、宋時代の綺麗で小さな白磁壺を気に入ったのだが、これが四〇万円程だった。今から二五年程前で、当時の私に取っては非常に高く到底難しい額だったが、分割払いでも良いと云う。「有り難いです、では少し考えます」と云うと、彼は一日結論を延ばすごとに一万円ずつ高くすると云ってきた。驚いて「え？　何故ですか」と聞くと、「美術品は、出会ったその時買わないと二度と買えない。貴方が帰った五分後に誰か来て〝買います〟と云ったら、商売人は売らざるを得ないのです。だから、欲しいと思ったら決断しなさい」と云う。

其処迄云われ、私も「判りました。買わせて頂きます！」と、財布に有った二万円を手付けに購入した。これが私の最初に買った美術品と為る。ただ、今振り返れば矢張り彼の言葉は真理だったと思う。美術品と云うのは、一瞬の機会を逃すとどんなお金持ちでも買えない。また、どんなに欲しくても持ち主側に売る気が無ければ、矢張り絶対に買えないのである。だが、其処に美術品の良さが有り、アートを手にする魅力が有るとも云えるだろう。序でに云えば、最終的に買う買わないは別として、美術品を扱うお店で、其処に有る作品を観ながら店の人達とこうして様々な会話をする事自体も、非常に勉強に為るのでおススメです。

美術品との出会いは人との出会い

美術品と云う物は、初めて買う迄は心理的な壁が高いかも知れない。美術品と聞いただけで、何か物凄く高い、自分などが持つものでは無いと、そんなお金が有るなら他に何かと、思うのも良く判る。ただ、例えばクリスティーズでも扱う美術品の値段は、実は安いものでは大体一点四〇〇ドルから売っているのだが、これは案外知られていない事実だろう。また、現代美術のギャラリー等もそうした価格帯の美術品を扱っていたりするので、こうした所からアートと身近に暮らす事が始められたら、これも凄く素敵だと思うし、それがこの本を書く事にした理由のひとつでもある。

私の場合は古美術も買うが、未だオークションでは扱われない若い現代美術家達の作品も好きだ。彼等の作品は先ず一度作家の契約ギャラリー等を介して顧客に購入され（これをプライマリーマーケットと云う）、またその作家の作品が美術館の展覧会出展や、出版物掲載等を経て、その作家がある程度著名に為ってから競売にかけられる事が普通だからだ（これをセカンダリーマーケットと呼ぶ）。だから、気に為るギャラリーや作家の展覧会等に自分で出掛けて行って、実際に作品を観、話を聞き、気に入ったら買う。

特に現代美術を買う時は、私は基本的に作家本人に会ってみる事にしている。自分の専門は古美術だが、前述の通り全ての古美術は、生まれた時は現代美術だった筈だ。今、我々が美術館等でこれは良い古美術だなと思っている作品は、多分、作られた時の「現代性」が残っているから皆が大事に残して来たし、だからこそどの時代の人が観ても古臭くない魅力を持っていると理解している。

だが古美術の場合、作家がどう云う気持ちで作ったかは、想像するしかない。仮に文書等が残っていたとしても、例えば長谷川等伯の生の声はもはや誰であっても聞く事は叶わない。しかし、現代の作家には聞けるのだ……どう云う考えで、どう云う気持ちでこれを作ったのか。

どう云う手法で制作しているのか。作った本人から教えて貰えるのだから、こんな機会を有効に使わない手は無い！

因みに必ずしも作品を買わなくても、展覧会のオープニング等で作家自身が会場に居れば、そうした話を聞く事が出来る可能性は有る。唯、矢張り購入を真剣に考え始めると、買う方の自分も（そして恐らく作家の側も）やり取りはより真剣に為るし、実際に購入した後も何かしら交流が続く事も多く、それもまた楽しい。

アートは、実はアートそのものだけでは面白さを満喫出来ない。そう云うと語弊があるなら、アートを介して人と接する事が、アートをより面白くする。これは古美術品でも例外では無い。勿論作家はもうこの世に居ないが、作品を巡って、持ち主や骨董屋さんとコミュニケーションする事も誠に楽しいもので、其処で知識や教養を得る事もそうだが、それだけでも無い。

例えばこんな事も有る。私のよく行く骨董屋さんは、私の好きなモノのタイプをよく知っている。あいつは大体こう云うものが好きだろうなと判っているのだ。そこで私が訪ねて行くと「ああ、山口さん、よく来たね」と云って、何かこう、彼の傍らに置いてあるのだが、全然それを見せてくれる素振りが無い。一五分位お喋《しゃべ》りして、もういい加減に「其処に有るのは何ですか？」みたいな事を云うと初めて、「これか？」「もしかして好きかな？」とか云ってくるのである。そういう時、其処にはある種のゲーム的なやり取りが存在し、そう云った事も面白がれるように為るとより楽しい。

アートは「仕事に役立つ教養」なのか

これも特に最近聞かれる事が増えた質問だが、「アートやそれを巡る教養はビジネスにも活かせるか」と云う物だ。正直に云うと、「はい、此処がこの様に活かせます」と云う類いの答えは持ち合わせていないし、もし、仕事に役立てようと云う目的でアートに触れようと云う発想をするなら、それはアートや美意識の本質を捉えていない故だと思う。

唯、ひとつはっきり云えるとすれば、美的教養と云うのは「本物的教養」だとも思う。繰り返しに為るが、美術を楽しむ事は、モノにしろ人にしろ、「本物」と云うのを見抜く力みたいなものを磨く事に通じてもいる。これも前述の通り、私の師と云える骨董商の言葉、「人を見る眼はモノを観る眼、モノを観る眼は人を見る眼」は矢張り真実だと思う。また、美術の名品を観て行くと、一定数以上の人間が共通して持っている感動の琴線の様な物が判ってくる様な所が有るが、この事が様々な仕事の場面で、功を奏する人は結構多いのではないか。其処には知識や教養だけではなく、感性的な要素も必要だと思っている。

財界人で云うと、嘗ては「電力王」と称された実業家の松永安左ヱ門等が美術コレクターでもあって、また松下電器（現パナソニック）の松下幸之助の様な人も居た。こうした人物達の心中には、世間には金持ち等幾らでも居るのだから、商才だけでなく教養が無いと、これからの世の中を作ろうと云う世界の人々と伍《ご》してはいけないぞ、と云う考えが有ったのだと思う。

今の日本にも、もっとそう云う人が出てきたら良いと思っているが、例えばIT系企業のファウンダー達の中から美術の理解者が出てきていると云った印象はある。十把《じっぱ》一絡《ひとから》げに論じる事は出来ないけれど、例えば京都と云う町はあれだけ古い物を継承してきた一方、テレビゲームの任天堂や、精密機器の島津製作所、また電子部品の村田製作所や京セラ等、新しい試みで台頭してくる会社を輩出している。その様なことを思うと、新しい物を生む所は古い所で、新しい物を作る人は古い物が好きと云う、一見すると逆説的にも思えるが、どこかで繋がっているのではないかと思うし、古い物から新しい入り口を発見する、とも云える気がする。

コレクターも、現代美術を集める人の中には、実は古美術好きな人も多い。矢張り「古美術もできた時は現代美術」で、優れた古美術は今も新しさを持っていると云うのが、特に現代美術好きには何と無く感じ取れるのではと、私は考えている。

この様に考えると、「ビジネスツールとしてアートに嗜む／アートを応用する」と云う「効用」や「手段」から考えるより、矢張りアートとはそれ自体を楽しむ物であり、その結果としてその人自身の感性や美意識が磨かれる事に繋がる、と云うのが私なりの答えに為るだろう。

そして、自分の人生に於ける「美意識の値段（価値）」は、それを鑑定するのも、決定するのも、貴方自身なのである。

おわりに

最後に、私が今後オークション・ハウスの人間として実現したい事を伝えたい。先ず、東京でクリスティーズのオークションを開催したい。世界各所で開催されているクリスティーズのセールだが、実は東京ではもう長い間行われていない。これは私としては絶対にやりたい事のひとつだ。例えば、アート・バーゼルの様な世界的規模のアートフェアを誘致し、それと同時期にクリスティーズのセールを日本で行えば、より多くのアートファンが国内外から来てくれるだろうし、日本でしか手に入らない多様な分野での良質な作品はまだまだ有るので、そう云う作品を求めて人が集まってくるだろう。昨今話題に為っている「IR（統合型リゾート）」も然り。この「IR」もカジノだけが注目されているが、美術館や美術品倉庫、オークションを含めた美術品ビジネスの可能性も大きい。また、例えばルーブル・アブダビやビルバオ・グッゲンハイム、ポンピドゥーセンター上海《シャンハイ》の様に、日本の何処かに世界的に著名な美術館を誘致し、アート・ファンのインバウンドを増やす……。この様に「世界から人が集まる」と云う事が、日本の将来に取っても非常に大事に為ると思う。クリスティーズのビジネスとしてと云うのは勿論だが、より広く、日本の人々に取っての「アートが身近な暮らし」「それぞれの美意識に根ざした暮らし」を考える上でも、長い目で見て貢献出来たらと思うからだ。

同様の理由から、教育的な事にも注力したいと考えている。特に、若い方々にアートにコミットして貰う為の一助を担えればと常々思っている。今、私自身は京都造形芸術大学で客員教授として教えてもいるが、海外ではオークション・ハウスが関わる美術の教育プログラムも既に有るので、日本でも一般の方向けの講座を行う等して、もっとパブリックに開いていきたい。そう云う「種まき」が重要であり、アートにコミットする楽しみ、またアートを介して人とコミュニケーションする事の楽しみを、ひとりでも多くの人に知って貰いたいと思っている。そして本書も、その様な思いから執筆された。これを読んで下さった皆さんがそれぞれの中でアートの「種」を芽吹かせてくれたら、これに勝る喜びはありません。

最後に本書を出すに当たり、大変お世話になった集英社新書編集部の伊藤直樹氏、編集者の髙木真明氏、ライターの内田伸一氏、石丸元章氏、本書の切っ掛けを下さった細川綾子氏、そして今は亡き「和の鉄人」の父と家族に深い感謝の意を表したい。有難うございました。

山口 桂（やまぐち かつら）

一九六三年東京都生まれ。クリスティーズジャパン代表取締役社長。京都造形芸術大学客員教授。立教大学文学部卒業。一九九二年、クリスティーズに入社し、日本・東洋美術のスペシャリストとして活動。一九年間、NY等で海外勤務をし、二〇〇八年の伝運慶の仏像のセール、二〇一七年藤田美術館コレクションセール、二〇一九年伊藤若冲作品で有名なプライス・コレクション一九〇点の出光美術館へのプライベートセールなど、多くの実績を残す。

集英社新書一〇〇八B

美意識《びいしき》の値段《ねだん》

二〇二〇年一月二二日　第一刷発行
二〇二〇年三月　七　日　第三刷発行

著者……山口《やまぐち》　桂《かつら》

発行者……茨木政彦

発行所……株式会社集英社

東京都千代田区一ツ橋二-五-一〇　郵便番号一〇一-八〇五〇

電話　〇三-三二三〇-六三九一（編集部）
〇三-三二三〇-六〇八〇（読者係）
〇三-三二三〇-六三九三（販売部）書店専用

装幀……原　研哉　　組版……伊藤明彦（アイ・デプト.）

印刷所……大日本印刷株式会社　凸版印刷株式会社

製本所……加藤製本株式会社

定価はカバーに表示してあります。

ISBN 978-4-08-721108-5 C0236　Printed in Japan

a pilot of wisdom

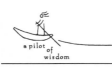

集英社新書　好評既刊

いま、なぜ魯迅か
佐高 信　0995-C
まじめで従順な人ばかりの国には「批判と抵抗の哲学」が必要だ。著者の思想的故郷を訪ねる思索の旅。

国家と記録 政府はなぜ公文書を隠すのか？
瀬畑 源　0996-A
歴史の記述に不可欠であり、国民共有の知的資源である公文書のあるべき管理体制を展望する。

ゲノム革命がはじまる DNA全解析とクリスパーの衝撃
小林雅一　0997-G
ゲノム編集食品や生殖医療、環境問題など、さまざまな分野に波及するゲノム革命の光と影を論じる。

人生にとって挫折とは何か
下重暁子　0998-C
人生の終盤まで誰もが引きずりがちな挫折を克服し、人生の彩りへと昇華する、著者ならではの極上の哲学。

ジョコビッチはなぜサーブに時間をかけるのか
鈴木貴男　0999-H
現役プロテニス選手で名解説者でもある著者が、選手の「頭の中」まで理解できる観戦術を伝授する。

悪の脳科学
中野信子　1000-I
『笑ゥせぇるすまん』の喪黒福造を脳科学の視点で分析し、「人間の心のスキマ」を解き明かす！

「言葉」が暴走する時代の処世術
太田 光／山極寿一　1001-B
「伝える」ことより、そっと寄り添うことの方が大事！コミュニケーションが苦手なすべての人に贈る処方箋。

癒されぬアメリカ 先住民社会を生きる
鎌田 遵　1002-N 〈ノンフィクション〉
トランプ政権下で苦境に立たされるアメリカ先住民。交流から見えた、アメリカ社会の実相と悲哀とは。

レオナルド・ダ・ヴィンチ ミラノ宮廷のエンターテイナー
斎藤泰弘　1003-F
軍事技術者、宮廷劇の演出家、そして画家として活躍したミラノ時代の二〇年間の光と影を描く。

性風俗シングルマザー 地方都市における女性と子どもの貧困
坂爪真吾　1004-B
性風俗店での無料法律相談所を実施する著者による、ルポルタージュと問題解決のための提言。